2024
DunHuang
Calendar

二〇二四 农历甲辰年

中信出版集团｜北京

敦煌研究院
DUNHUANG ACADEMY

人类敦煌，千年莫高。

Calendar
2024

1

壹

January

月

供养天人

西魏

莫高窟第248窟

这是位于洞窟前部人字披顶的装饰图案，画面用色虽然简单却富有表现力，既平衡协调，又有节奏变化。身材颀长的供养天人双手合十，擎着长长的花枝，站姿优雅闲适。愿新的一年，人康健，心如愿。

癸卯年
冬月二十

一　　月　　　　星期一

January

01

元
旦

**鹿野苑
初转法轮**

北魏
莫高窟第 260 窟

释迦牟尼成道后，在鹿野苑第一次向世人讲经说法，称为"鹿野苑初转法轮"。图中佛陀正在说法，座侧有两只相对而卧的小鹿。相传古印度波罗奈国鹿野苑周围生活着许多野鹿，这两只小鹿正是鹿野苑的象征。因早期佛教发源于此，它便成了佛教圣地，就连玄奘西行取经时也曾特意到访参拜。

癸卯年
冬月廿一

一　月

星期二

January

02

阿修罗

西魏
莫高窟第 249 窟

佛教中的阿修罗属于六道之一，是天界的护法神。第 249 窟的阿修罗身材异常雄巨，立于海中，海面竟然还不能没过其膝盖。他四臂四目，下方双手结印，上方双手举托日月。以阿修罗为中心，周围还绘有风雨雷电、迦楼罗、朱雀、乌获等神兽。在这个画面里，佛教传说与中国本土神话经由艺术加工组合，成为一个整体。

癸卯年
冬月廿二

一　　月　　　　　星期三

January

03

慈悲之美

北魏
莫高窟第 259 窟

这尊塑像面容清秀,双目垂敛,脸带微笑,双手交握于腹前,坐姿微微前倾,视觉角度正好能够与佛龛外的观像者达成平衡,如同佛陀正在仔细倾听众生的心声。工匠利用面部表情的细微塑造,赋予佛像慈悲祥和的美感,使其成为莫高窟北朝时期塑像艺术的精华之作。

癸卯年
冬月廿三

一　　月

星期四

January

04

胁侍菩萨

西魏
莫高窟第 285 窟

画面中的胁侍菩萨与通常庄严肃穆的菩萨形象不同,他们面带微笑,或在两相交谈,或接天上飞花,或招手呼唤,脱离了神性孤高的刻板印象,更加富有生活意趣。莫高窟长期受风沙和光照影响,许多壁画都出现了变色、褪色等情况,而这组胁侍菩萨保存较好,仍可看清五官细节,弥足珍贵。

癸卯年
冬月廿四

一　　月

星期五

January

05

日神

西魏
莫高窟第 285 窟

日神、月神是人类早期对日月崇拜的拟人化想象。第 285 窟壁画中这幅日神像，日神坐在马车上，马车左右各延伸出两个反方向牵引的马头。这种图像可能与古希腊艺术中的太阳神阿波罗像有关，两个相隔遥远的文明在敦煌发生艺术碰撞，也是古代世界文化交流往来的缩影。

癸卯年
冬月廿五

一　　月

星期六

January

06

小
寒

出游四门之
北门遇僧

北凉
莫高窟第 275 窟

这幅壁画描绘了乔答摩·悉达多太子出北城门，遇到天人化现的僧人。他见僧人宁静庄严而心生触动，决意出家。早期敦煌壁画多采用西域式晕染法，人物面容立体，衣饰色泽艳丽浓厚。

癸卯年
冬月廿六

一　　月

星期日

January

07

降魔成道

北周
莫高窟第 428 窟

释迦牟尼成道前夕，魔王波旬感受到威胁，派魔军前来袭击，同时派出三个女儿，试图引诱释迦牟尼，阻拦其修行。画面上，释迦牟尼端坐正中，任凭左右两侧妖魔环绕、毒蛇窥伺、魔女诱惑，兀自岿然不动。这些所谓妖魔，意指困扰人心的种种欲念。释迦牟尼不受诱惑与侵扰，一心大道，最终成就佛身。

癸卯年
冬月廿七

一　　月　　　　星期一

January

08

九色鹿
救溺水者

北魏
莫高窟第 257 窟

在九色鹿本生故事中，九色鹿美丽而善良，见到不慎落入水中的溺水者，不顾湍急的水流和暗藏的漩涡，一跃入水。善良纯粹的心促使它不曾顾及危险，即刻施以援手，让溺水者骑在背上，将其救出。

癸卯年
冬月廿八

一　　月　　　　星期二

January

09

马车

北魏
莫高窟第 257 窟
常书鸿临摹

常书鸿（1904—1994），浙江杭州人。1944 年任国立敦煌艺术研究所所长，1949 年后历任敦煌文物研究所所长、名誉所长，敦煌研究院名誉院长。20 世纪 40 年代初，作为誉满中外的著名画家，他毅然举家奔赴莫高窟，开展敦煌石窟的保护和研究工作。并亲自主持、参加临摹，对壁画色彩和装饰造型理解深刻，其作品代表了敦煌研究院早期临摹工作的成就。

癸卯年
冬月廿九

一　　月　　　星期三

January

10

惊喜的少女

北魏
莫高窟第257窟

这是须摩提女请佛故事画中，满财长者和眷属以及舍卫国国民在门前迎候佛与弟子的场景。年轻女子头戴花冠，脑后披黑色长纱巾，绿色紧身胸衣下露出健美的腰腹。她突见释迦及弟子从天空飞至，一手抬指长空，回首向身后的女子问询，又惊又喜的情态跃然壁上。

癸卯年
腊月初一

一　　月

星期四

January

11

宫殿

北魏
莫高窟第 257 窟

此幅壁画表现的是溺水者向国王告发九色鹿行踪的情节。国王与王后坐于阙形建筑内，该建筑有内外两组阙身，中间以横向的屋顶连接，在建筑学中称为双阙，属于等级较高的建筑。佛教故事画中出现中国传统建筑，表明佛教艺术在传播的过程中，不断与中国传统艺术交互融合。

癸卯年
腊月初二

一　　月

星期五

January

12

宅院

北魏

莫高窟第 257 窟

宅院内有会见宾客的大堂、多层楼阁和用于休息的寝室，功能齐全。画工独具匠心，为方便体现故事情节，将院内重要建筑——大堂绘得最大。宅院外围有一圈院墙，墙上有凸出的垛墙和马面，具有防御功能。

癸卯年
腊月初三

一　　月　　　　　星期六

January

13

象舆

北魏
莫高窟第 257 窟

象舆就是在大象背上安置辇舆，一般都是安放莲花座，它并不是普通人使用的交通工具，多为具有神格的人物乘坐。这里共有五头，以一当百，代表须摩提女请佛因缘故事中的五百大象。

癸卯年
腊月初四

一　　月

星期日

January

14

那罗延天

西魏
莫高窟第 285 窟

那罗延天是印度教三大主神之一的毗湿奴,后被佛教化用为护法神。图中这身那罗延天三面八臂,佩戴头冠,手中各持法器,目光炯炯有神。这类印度教转化而来的佛教护法,主要是根据西域传来的粉本绘制,因此人物面貌、艺术风格呈现出西域式的特征。

癸卯年
腊月初五

一　　月

星期一

January

15

鸠摩罗天

西魏
莫高窟第 285 窟

鸠摩罗天又称童子天，特点是留童子发型，骑孔雀。他肩生四臂，腹前手中握一白色小鸟，另外三手分别持戟、莲蕾和葡萄。

癸卯年
腊月初六

一　　月

星期二

January

16

摩醯首罗天

西魏

莫高窟第 285 窟

摩醯首罗天,即印度教三大主神之一的湿婆神,同样被佛教化用为护法神,又称"大自在天"。图中这身摩醯首罗天三面六臂,坐于青牛背上,六只手各持法器,头冠上还有一个小小的风轮,这或许与其原型湿婆有关,因为湿婆正是印度教中司掌风暴之神。

癸卯年
腊月初七

一　　月

星期三

January

17

散花飞天

西魏
莫高窟第 248 窟
欧阳琳临摹

欧阳琳（1924—2016），
四川彭州人。1947 年进
入国立敦煌艺术研究所工
作，毕生致力于敦煌壁画
临摹及研究工作。2012
年获得甘肃省委、省政府
颁发的"甘肃省文艺终身
成就奖"。

癸卯年
腊月初八

一　　月　　　　星期四

January

18

修建塔庙

北周
莫高窟第 296 窟

莫高窟的北朝壁画，不仅表现了各类建筑，还表现出建筑修建的过程。图中上部表现砌塔的场景，工人分工明确，有的在顶部负责砌砖，有的在下方递砖。下部修建殿堂的工匠们有泥工、画工等，各司其职。

癸卯年
腊月初九

一　　月

星期五

January

19

行船

北周
莫高窟第 296 窟

画面中的小船构造简单，船头与船尾较尖，形状很像我们小时候折出来的纸船，船头有人撑篙，船尾有人摇橹。此类小船在当时应该是西北地区较常用的河运工具。

癸卯年
腊月初十

一　月

星期六

January

20

大
寒

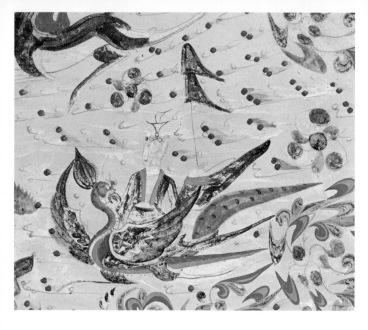

仙人乘凤

西魏
莫高窟第 285 窟

仙人的座驾自然与凡人不同，普通的牛和马入不了法眼，只存在于神话中的凤鸟才配得上其绰约的风姿。凤鸟身体为青绿色，翅膀为彩色，尾部长长飘出，体现了古人极具浪漫主义色彩的想象力。

癸卯年
腊月十一

一　　月

星期日

January

21

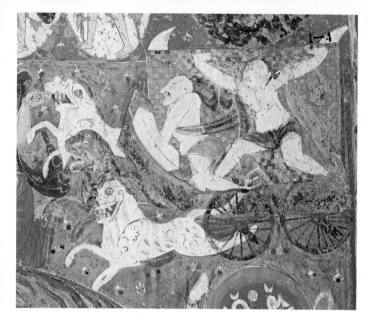

战车

西魏

莫高窟第 285 窟

壁画中三头狮子呈奔跑状并列拉车，战车两轮，前方有围栏，车身上站勇士两名。这种构图方式和战车样式都具有明显的古希腊艺术特色，再一次印证了古代丝绸之路上的文化交融互鉴。

癸卯年
腊月十二

一　　月

星期一

January

22

骑射图

西魏
莫高窟第 249 窟

位于洞窟顶部的这幅壁画表现了山林射猎的场景。猎人骑于马上，回身拉弓，射向身后的老虎。马前腿高高抬起，猎人后倾，猛虎前扑，整个画面充满动感和紧张感。

癸卯年
腊月十三

一　月

星期二

January

23

猎鹿骑射图

西魏
莫高窟第249窟
史苇湘、欧阳琳临摹

该画临摹者之一的史苇湘（1924—2000）先生，四川绵阳人。1948年进入国立敦煌艺术研究所工作，曾长期主持敦煌石窟内容总录的整理，并负责管理资料室，被誉为敦煌"活资料""活字典"，是敦煌学研究的开拓人之一。

癸卯年　　　一　　月　　　　星期三
腊月十四

January

24

列阵的战马

西魏
莫高窟第 285 窟

马匹在中国古代战争中具有重要地位，它们除了作为骑乘工具以外，还能配合士兵摆出各种阵形。图中的战马全副武装，马头一律朝外，呈"V"字形，这样能够保证背部不会受到攻击，可以专注于进攻。这幅壁画为中国古代军事研究提供了重要的图像资料。

癸卯年
腊月十五

一　　月　　　　星期四

January

25

戎装骑兵

西魏
莫高窟第 285 窟

在《五百强盗成佛》故事画中，前来围剿强盗的官兵全副武装，不仅军士们头戴兜鍪、身着铠甲，他们所骑的战马也身着具装铠。具装铠整体由小型甲片编缀而成，面帘整套在马头上，开小孔露出眼睛和耳朵，额顶有管状缨座以插彩缨。据史料记载，当时的步兵对这样的重装骑兵完全没有抵抗能力，壁画中的故事结局也是强盗全部被官兵抓获。

癸卯年
腊月十六

一　　月

星期五

January

26

**尸毗王
割肉贸鸽**

北魏
莫高窟第 254 窟

释迦牟尼前生曾为尸毗王，以救度众生苦难为己任。天神要考验他的意志，化身为鹰与白鸽。尸毗王见雄鹰捕猎鸽子，心生不忍，但又知雄鹰不食鸽子也会饿死，于是割下自己的肉放到天平上，愿以己命换鸽子性命。修行者崇尚慈悲为怀、众生平等的价值观念，由此故事可见一斑。

癸卯年
腊月十七

一　　月　　　星期六

January

27

持麈尾的国王

西魏
莫高窟第 285 窟

国王跽坐于亭阁之中，正在与人交谈。他右手持麈尾，食指轻举，似有点化教诲之意。麈尾本是士人闲谈时用以驱虫、掸尘的一种工具。敦煌壁画中的麈尾主要有两种形制：一种是类似图中这样轮廓像蒲扇的；另一种是在细长的手柄两边及上端插设兽毛的。这些麈尾大都不是为了拂尘，而是名流清谈时的一种雅器，用以体现他们的风度。

癸卯年
腊月十八

一　月

星期日

January

28

比丘尼惠勝供養時

供养人
比丘尼惠胜

西魏
莫高窟第285窟

比丘尼一般位于女性供养人行列的队首。图中为比丘尼惠胜，身穿双领下垂式袈裟，左手托盘供养，右手持花。北朝时期，比丘尼的常服是上着僧祇支，手持随坐衣。与比丘不同的是，比丘尼下着裙。

癸卯年
腊月十九

一　　月

星期一

January

29

供养人史崇姬

西魏
莫高窟第 285 窟

史崇姬，原为粟特史氏成员，与敦煌望族阴氏通婚，嫁与阴安归。粟特人善经商，这就使阴氏家族具备了足够的经济实力。西魏时期阴氏家族积极参与佛教活动，并作为主要的赞助人之一参与了莫高窟第 285 窟的营建。

癸卯年
腊月二十

一　月

星期二

January

30

供养人滑黑奴

西魏
莫高窟第 285 窟

"滑"不是汉族姓氏,是
《梁书·诸夷传》里出现
的"滑国",即嚈哒人的
姓。壁画中的滑黑奴裹头
巾,鲜卑族着装。滑氏
家族和阴氏及其他望族
供养人像一同出现在第
285 窟中,可见其当时
在敦煌的势力不容小觑。

癸卯年
腊月廿一

一　月

星期三

January

31

贰

February

月

千佛图

北魏
莫高窟第 257 窟

为表现规模宏大的佛国胜景，莫高窟早期洞窟常常在四壁通壁绘制千佛图。细看每一身小佛，其衣着、佛光、头光均有规律地排列，各身小佛视觉和色彩的差异营造出佛光粼粼波动之感，而这显然是画工在绘制时特意安排的，可见北朝时期的配色设计水平已极为高超。

癸卯年
腊月廿二

二　　月

February

星期四

01

伎乐童子

西魏
莫高窟第 285 窟

伎乐童子是龛内装饰的一部分。花藤连接着数朵莲花，莲花中长出一个个小小的童子，童子梳双髻，上身赤裸，臂缠飘带，手持乐器，演奏着天宫之乐。画面中这身伎乐童子怀抱琵琶，双眼凝视龛内正中的佛陀，似在聆听佛法，又似在专注奏乐，身周祥云环绕。

癸卯年
腊月廿三

二　　月

星期五

February

02

忉利天宫

西魏
莫高窟第 249 窟

忉利天宫是佛教第三十三天的名称，位于须弥山顶上，是帝释天的住所。画面下方嶙峋的山石代表须弥山，上方忉利天宫模仿古代的城池，城墙威严耸立，城门微开，似在迎接信众进入这个极乐净土。

癸卯年
腊月廿四

二　　月

星期六

February

03

山间听法

西魏
莫高窟第 285 窟

这是五百强盗成佛故事的一个场景。改过自新的五百强盗接受了剃度，穿上了袈裟，虔诚跪地聆听佛的教诲。远处峰峦叠嶂，兽隐林间；近处池水澄净，禽戏水中。飞扬的柳枝、怒发的春竹、活泼的鸟兽，春日的山野中，一切都显得那样生机勃勃，万象更新。

癸卯年
腊月廿五

二　　月

星期日

February

04

立
春

七宝交露车

北周

莫高窟第 290 窟

记录释迦牟尼生平事迹的佛传故事中讲到，在释迦牟尼出生之前，出现了一系列瑞应，天神敬献七宝交露车就是其中之一。此车以珍珠交错形成帷幔，装饰金、银、琉璃、玻璃、砗磲、赤珠、玛瑙等七宝，华丽而又庄严。

癸卯年
腊月廿六

二　月

星期一

February

05

酒瓮

北周
莫高窟第 290 窟

"饮"在中国古代饮食文化中占有很重要的地位,酒和茶在我国古代可以算是奢侈品。为了更好地保存酒,一般将酿好的酒装在酒瓮中,装酒的瓮在烧制时会在表面加一层釉,以防渗漏。

癸卯年
腊月廿七

二　　月

星期二

February

06

宰牛烹肉

北周
莫高窟第 296 窟

肉食是古代社会饮食的重要部分，因此买卖肉食的屠户、肉铺都十分常见。画面中，屠夫持刀站立，屋内的牛已被宰杀，旁边支一口大锅，正准备煮肉，反映出水煮是当时加工肉食的主要方法之一。

癸卯年
腊月廿八

二　　月

星期三

February

07

羊羔跪乳

北周
莫高窟第 290 窟

"食肉饮酪"虽是游牧民族的饮食传统，但对于当时各民族混居的敦煌来说，乳品并不陌生，甚至在敦煌人的食谱中占有很重要的地位。画中小羊正仰头吮吸母乳，羊妈妈耐心地站着，等待孩子吃饱，别有一番母子情深的意趣。

癸卯年
腊月廿九

二　月

星期四

February

08

乘风送吉

西魏
莫高窟第 249 窟
霍熙亮、范文藻临摹

仙人所乘之车由三只鸾凤牵引，上方有精美的华盖，旌旗猎猎，祥云飘飘。仙人乘着凤车而来，摒除前尘旧弊，共赴祥瑞新元。

癸卯年
腊月三十

二　　月

星期五

February

09

除
夕

龙腾祥瑞

北魏
莫高窟第 257 窟

身姿矫健的五百青龙驮着头顶华盖的佛弟子从天空浩荡飞来,向崇信佛教的须摩提女和城中的民众显示着佛的神力。敦煌壁画中有大量龙的图像,不仅代表着佛教中的含义,也承载着各种美好的寓意和祈愿。愿您在甲辰龙年,龙腾祥瑞、龙马精神。

甲辰年
正月初一

二　　月

星期六

February

10

春
节

龙首

西魏
莫高窟第248窟

莫高窟第248窟中心柱东向面的佛龛龛梁两端浮塑一龙，守护佛身。此龙背有青鳞，铜铃大眼，张嘴吐舌，面孔奇异，连鼻耳也仿佛人类形态。早期龙形纹饰还不如后世成熟，此时的模样犹如初生，取材来自人身或兽身，拙朴中透出几分憨态可掬。

甲辰年
正月初二

二　　月

星期日

February

11

白衣佛

西魏
莫高窟第431窟

这身白衣佛是莫高窟早期佛像绘画的代表作之一。画工以粗细相间的线条，细腻地刻画了佛衣的折叠和褶皱，使一身白色佛衣具有十分鲜明的流动感和立体感。佛结跏趺坐说法，白色袈裟随身体姿态和动作而自然垂落，宝相庄严的氛围中，也映射出时人喜好飘逸风雅的审美倾向。

甲辰年
正月初三

二　　月

星期一

February

12

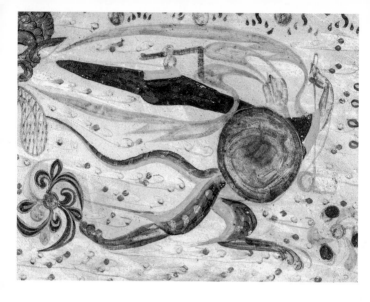

伏羲

西魏
莫高窟第 285 窟

传说中伏羲和女娲均是人首、龙身、鸟足、长尾，肩臂缠绕飘带，上身穿大袖襦衫，共同护卫中央的摩尼宝珠。伏羲手中持矩，胸前圆盘中似绘金乌，表示太阳。画面体现了古人对天地日月的自然崇拜，是中国传统神仙思想与佛教题材的结合。

甲辰年　　二　　月　　　　星期二
正月初四

February

13

女娲

西魏
莫高窟第 285 窟

画面中的女娲人面蛇身，右手持规，左手所持器物不明，胸前圆轮中画一蟾蜍，象征月亮。

甲辰年　　　　二　　月　　　　　　星期三
正月初五

February

14

游龙

西魏
莫高窟第 249 窟

这幅壁画中的游龙造型十分简洁,尖吻、长颈、四足、长尾,土红色简单勾画出身躯轮廓,内部虽不填充细节,但龙身走势飘逸流畅,充满动感。仅是寥寥几笔,一条飞行于彩云之间的长龙便跃然而出,足见古代画工高超的艺术表现力。

甲辰年　　　　　　二　　月　　　　　星期四
正月初六

February

15

九龙灌顶

北周
莫高窟第 290 窟

乔答摩·悉达多太子出生时，九条神龙从天而降，口吐甘露，为刚刚降生的太子灌顶洗浴。莫高窟第 290 窟的壁画还原了这一场景。太子站立方台上，周围环绕九条神龙，台前有两位仙人做供奉状。用绘画的形式来展现佛教故事，简单易懂。

甲辰年
正月初七

二　月

星期五

February

16

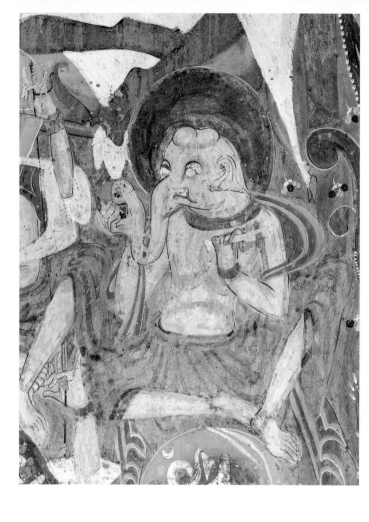

毗那夜迦

西魏
莫高窟第 285 窟

毗那夜迦由印度教中的象头神演变而来，是早期佛教中的护法神之一。画面中的毗那夜迦象头人身，右手托一钵，象鼻正探入钵内，左手则持握半截断牙。关于这截断牙还有个传说：毗那夜迦帮助诗人记录古印度史诗《摩诃婆罗多》，但情绪激昂时不小心将笔折断，毗那夜迦连忙折断自己的象牙，以牙代笔继续记录。

甲辰年
正月初八

二　　月

星期六

February

17

天马

西魏
莫高窟第 249 窟

此幅壁画以蓝色粗线条勾勒出马健硕的身体，前腿上方生出一对翅膀，表现中国古代神话中天马的形象。天马前蹄抬起，右后腿蹬直，翅膀展开，似正腾跃飞行，动感十足。

甲辰年
正月初九

二　　月

星期日

February

18

雨神

西魏
莫高窟第 285 窟

在中国古典神话中，龙首人身的计蒙总是在河渊出没，所过之处，必有大雨降落，因此被奉为司掌人间雨露的雨神。这幅壁画中，雨神正张开双臂，鸟形羽翅随风而展。画面背景雨雾蒸腾，龙形与雨水这两种图像符号之间就此产生了联系。后世提到布雨之神，常会说起穿行于云雾之间的龙形神兽。

甲辰年
正月初十

二　月

星期一

February

19

雨
水

禅僧服饰

西魏
莫高窟第285窟

禅定佛结跏趺坐于龛内，外披袈裟，袈裟的一边像风帽一样搭于头上，露出他安详恬静的面容。僧人拾取世人遗弃的废旧布片，镶成或长或短的方布块，连缀成长方形的袈裟，也称作"百衲衣"。"衲"，意同"纳"，表示将织物密集拼缀而成，有包容万物、纳天地灵气之意。"百衲"这种工艺随着佛教文化的盛行在民间逐渐流行开来。

甲辰年　　　　二　　月　　　　星期二
正月十一

February

20

释迦苦修像

西魏
莫高窟第248窟

释迦牟尼出家修行的过程中，曾经历过长达六年的苦修，每日只吃少量食物，以饥饿寒苦锤炼身心。这身苦修像极具写实性，薄衣透体的袈裟下方，可清晰看到肋骨的走向。面容虽然憔悴瘦弱，但神情却不见愁苦，依旧凝神定气，似陷于深思之中。

甲辰年
正月十二

二　月

星期三

February

21

褒衣博带的菩萨

西魏
莫高窟第 285 窟

供养菩萨头戴宝冠，内着曲领中单，外着交领曳地长袍，足蹬笏头履。他眉目清秀，嘴角微扬，鬓角长发呈燕尾状，身体两侧飞扬条条垂髫，俨然秀骨清像、褒衣博带的南朝士大夫模样。这种装束完全不同于印度佛教的菩萨，是我国古代工匠结合本土服饰进行的再创作。

甲辰年　　　　二　　月　　　　星期四
正月十三

February

22

国王服饰

北周
莫高窟第 290 窟

这幅佛本生故事画中的国王头戴合欢帽，身着对襟大袖长袍，袍长及地，足蹬高头履。因正要外出，外披对襟翻领披风，从领部用绳带系住，长长的袖子垂于体侧。披风衣领的边缘画成了有别于其他部位的波浪线，推测是画家为了表现衣领是用不同于衣身的材料制成，比如毛皮，这也更符合这件披风的穿用场合，更加贴合国王的身份。

甲辰年
正月十四

二　　月

星期五

February

23

天宫伎乐

西魏
莫高窟第288窟

这些在形如半圆窗形的画面内演奏乐器和舞蹈的天人，是佛国世界里娱佛、供养佛的音乐舞蹈之神，被称为天宫伎乐。他们所持的乐器、舞具不同，身姿手势各异，动作舒展奔放，为画面增添了欢快热烈的气氛。

甲辰年
正月十五

二 月

星期六

February

24

元
宵
节

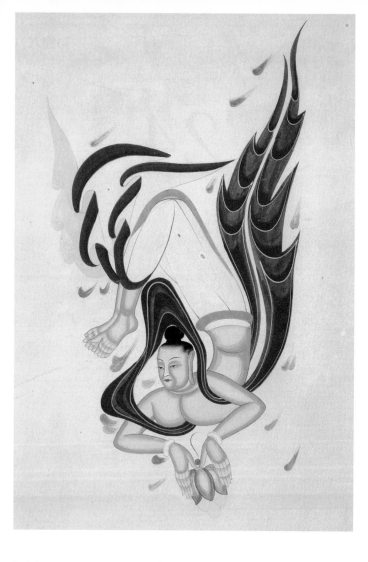

托青莲飞天

西魏
莫高窟第 249 窟
关友惠临摹

关友惠（1932—2022），山西临猗人。1953 年到敦煌文物研究所工作。此幅飞天是关友惠先生在对壁画绘制方法和颜料变色等问题进行深入研究后，进行的复原临摹作品，展现了西魏时期飞天的风采。

甲辰年　　　　二　　月　　　　星期日
正月十六

February

25

**比丘与
女供养人**

北周
莫高窟第 296 窟
万庚育临摹

万庚育（1922—2020），湖北黄陂人。长期从事敦煌艺术临摹和研究、石窟资料调查整理等工作，临摹敦煌壁画近百幅。在临摹敦煌壁画的同时，潜心研究敦煌艺术，参与了敦煌壁画供养人题记的全面调查工作，参加编撰《敦煌莫高窟供养人题记》《敦煌的艺术宝藏》《中国石窟·敦煌莫高窟》等重要著作。

甲辰年
正月十七

二　　月

星期一

February

26

贵妇服饰

西魏
莫高窟第 285 窟

贵妇供养人左手持长柄香炉，面带微笑，优雅而立。她头束双丫髻，上着对襟襦衫，下着间色曳地长裙，裙上有蓝色围腰。贵妇肩上有白色的飘带飞扬，蓝色的襀带也向身后高高飘起，仿佛整个人在御风而行，与《洛神赋图》中的洛神服饰相似，简练而夸张的艺术手法塑造出仙气飘飘的丽人形象。

甲辰年
正月十八

二　　月

星期二

February

27

贵妇服饰

北周
莫高窟第 428 窟

北周时期，女子服饰褒衣博带的风尚继续流行。女供养人高髻束于头顶，身着对襟大袖上襦，双手拢于袖内，宽大的袖口下垂直至膝部；下配曳地长裙，足蹬高头履。宽袖、长裾、曳地裙，层层叠叠，给人以端庄稳重的感觉。

甲辰年　　　二　　月　　　　星期三
正月十九

February

28

**着袴褶
男供养人**

北京
莫高窟第 275 窟

这是莫高窟现存最早的供养人画像之一，位于洞窟北壁的中下部，仅有约二十厘米高。二男子均头上扎巾，身着交领窄袖及膝上衣，下着窄腿长裤。这种短衣（褶）搭配长裤（袴）的服饰名为袴褶，初为北方游牧民族所穿着，后因优越的实用性逐步被纳入中原王朝的服饰礼仪系统。

甲辰年
正月二十

二　　月

星期四

February

29

叁

March

月

鹿与猴

西魏
莫高窟第 249 窟

此画面位于洞窟顶部西披，在手擎日月、足蹈大海的阿修罗脚下的海边，一只小鹿正在俯身饮水。稍远处，一只猴子正回首伸手。鹿和猴在佛教文化中代表着善良和智慧，后来在中国的世俗文化中还演变出了"百禄封侯"的吉祥语。

甲辰年
正月廿一

三　月

星期五

March

01

狩猎

西魏
莫高窟第 285 窟

狩猎不仅仅是获取肉食的重要途径，同时也是贵族们的消遣活动之一。重峦叠嶂间，一只肥壮的盘羊正扬蹄奔跑，忽见前方猎人拉弓搭箭瞄准自己，瞬间惊慌不知所措。画面就定格在这一刻。

甲辰年
正月廿二

三　　月

星期六

March

02

牛

西魏
莫高窟第 249 窟

莫高窟中的壁画除了内容丰富以外，绘画技法也很多样。图中的牛使用白描的手法绘成，寥寥几笔勾勒出其仓皇奔逃的姿态。牛身的留白与下方敷色浓郁的山峦形成对比，浓妆淡抹相应，既增加美感，又为画面注入一丝轻松之意。

甲辰年
正月廿三

三　　月

星期日

March

03

雨神

西魏
莫高窟第249窟

画面中的雨神兽面人身，肩生双翼，腹部绘旋涡纹，做下蹲状，口中喷出巨大的云气。《山海经·中次八经》记载："又东百三十里，曰光山，其上多碧，其下多木，神计蒙处之，其状人身而龙首，恒游于漳渊，出入必有飘风暴雨。"

甲辰年
正月廿四

三　　　月

星期一

March

04

电神

西魏
莫高窟第 285 窟

电神腿部蹬推地面，双手执铁杵，奋力敲击，使天空因铁杵的摩擦而出现闪电，动作充满力量感。古人对尚未知晓原理的自然现象产生了无数想象，由此也创造了原始信仰中的自然神明。这样的拟人化想象天马行空，富有趣味，同时竟也暗含了摩擦起电的科学道理，颇具巧思。

甲辰年
正月廿五

三　　月

星期二

March

05

惊
蛰

腰系蹀躞带的
男供养人

西魏
莫高窟第 285 窟

男供养人头戴小冠，身着
红色袴褶，腰间系着的蹀
躞带形制清晰。蹀躞是指
从腰带带銙的穿孔引出的
下垂小带，蹀躞带即指有
蹀躞的腰带，以皮革为鞓，
端首缀镳，带身钉有数枚
带銙，銙上备有小环，环
上套挂若干小带，以便悬
挂各种杂物，如小刀、针
筒、荷包、磨刀石等。

甲辰年
正月廿六

三　　月

星期三

March

06

北周僧人服饰

北周
莫高窟第 428 窟

袈裟在梵语中意为坏色、
不正色、染色。僧侣的法
衣要避免使用五正色（青
黄赤白黑），要染成"坏
色、不正色"，因此后来
袈裟就泛指佛教僧侣的
衣服。佛教传入中国后，
袈裟的用色有了改变，也
出现了用色鲜艳的，如
金缕袈裟、紫金袈裟等。
图中作为供养人的比丘便
外披宽大的赤色袈裟，双
手于胸前拢于衣内，虔诚
而立。

甲辰年　　　三　　月　　　　星期四
正月廿七

March

07

间色裙

西魏
莫高窟第 285 窟

"裙"是"群"的同源派生词，意为将多（群）幅布帛连缀到一起形成筒状。古代由于受纺织技术的限制，布帛的门幅一般较窄，所以裙子都是用好几幅布帛拼接缝制而成。有的用两种颜色的面料交替拼接制作，称为间色裙，图中女供养人的长裙即是如此，是年轻女子最青睐的款式。

甲辰年
正月廿八

三　月

星期五

March

08

国
际
妇
女
节

双丫髻少女

西魏
莫高窟第285窟

少女身着红色对襟大袖上襦、白色长裙，正在倾身向人们诉说自己的遭遇。她头束双丫髻，耳边留着髾鬓，活泼而灵动。髾鬓是南北朝时期流行的一种两鬓的装饰方法，先将两鬓的头发整理成特定的形状，然后刷上胶使鬓角形状固定。当时流行的鬓发有带状、燕尾状等，有的双鬓卷曲呈蝎子状，最长可下垂至肩。

甲辰年　　　　　三　　　月　　　　　星期六
正月廿九

March

09

**着犊鼻裈
的渔夫**

北周
莫高窟第 296 窟

正在张网捕鱼的两位渔夫，上身赤裸，下身只着一条犊鼻裈。犊鼻裈是
古代的一种短裤，用布匹围绕臀部和两腿裹制而成，因形似牛鼻子而得
名。犊鼻裈类似后世的三角内裤。敦煌壁画中的穿用者大多是渔夫、船
夫、泥瓦匠等劳动人民，可以防止下水等活动打湿弄脏外裤。

甲辰年　　　三　　月　　　　星期日
二月初一

March

10

沙弥剃度

北魏
莫高窟第 257 窟

这是沙弥守戒自杀故事中的剃度场景，身着袒右袈裟的僧人正在手法娴熟地剃掉双手合十虔诚跪地的男子的头发。剃落三千烦恼丝，远离烦恼忧愁，拥抱更好的自己。

甲辰年　　　　三　　月　　　　星期一
二月初二

March

11

龙
抬
头

春日

西魏
莫高窟第 285 窟

大漠春日里的一抹绿,正是莫高窟早期壁画中的一组树,如松、如柳、如竹,郁郁葱葱,默默陪伴着千年的石窟。

甲辰年　　三　　月　　　星期二
二月初三

March

12

植
树
节

魔将铠甲

北周
莫高窟第 428 窟

立于释迦牟尼身侧的魔
将头戴兜鍪，两侧有护
耳，上身着半臂对襟铠
甲，有护髀和腰裙，下身
着竖条纹小口裤，足蹬尖
头皮靴，是西域风格的军
戎装束。从同窟其他类似
人物形象可知，此铠甲是
用小片的皮革连缀而成，
胸部和双肩是重点需要防
护的部位，所以格外进行
了加固。

甲辰年
二月初四

三　　月

星期三

March

13

持花女供养人

北周
莫高窟第 428 窟
史苇湘临摹

史苇湘先生在临摹、研究、考证的综合工作方法之下，撰写了大量相关研究文章及著作，并主持编撰了《敦煌莫高窟内容总录》，在多年实地考察的基础上，记录了洞窟壁画、塑像的内容及保存状况，这些至今仍是敦煌学研究不可或缺的重要资料。

甲辰年
二月初五

三　　月

星期四

March

14

商队

北周
莫高窟第 296 窟

图中右上方两人正在给跪卧的骆驼喂药，左侧三匹马正在水槽中饮水，下方绘制骆驼与马队驮运货物，内容丰富而又写实，为我们再现了丝绸之路上商队往来的盛景。

甲辰年
二月初六

三　月

星期五

March

15

消费者权益日

束行縢的男子

西魏
莫高窟第 285 窟

正在张弓的军士身着黑衣白裤的袴褶，特别之处在于，他的小腿上有绿色的束腿，分别在膝部和脚踝部束住，将敞开的裤腿缚于其内，在脚踝处形成一个喇叭状的开口。这种缠绕在膝盖至脚踝之间束裤裹腿之物古时称为"行縢"，是步兵的常规装备，腾跳轻便，方便涉足远行。

甲辰年　　　三　　月　　　　星期六
二月初七

March

16

飞天献瑞

西魏
莫高窟第249窟

飞天在佛教中是焚香散花、歌舞献乐的天人。这组飞天中西合璧,上面的飞天受中原艺术的影响,呈现褒衣博带的特点;下面的飞天受西域艺术影响,呈现出健壮朴拙的特征。

甲辰年　　　三　　月　　　　星期日
二月初八

March

17

殿堂

西魏
莫高窟第 285 窟

殿堂是莫高窟壁画中常见的单体建筑，一般前面设有台阶，顶部为歇山顶，绘成蓝色表示屋顶铺有瓦片。屋顶翘起的两角为鸱尾，两只斗鸡在屋顶"精光目相射，剑戟心独在"，为画面增添了动感。

甲辰年
二月初九

三　　月

星期一

March

18

印度式塔

北周
莫高窟第 301 窟

图中的塔为覆钵顶，圆柱形塔身，上方有七重圆圈形的相轮，顶部有火焰宝珠，是典型的印度式塔。在印度诸石窟内保存了许多此类佛塔，与多层楼阁状的汉式塔有明显区别。

甲辰年
二月初十

三　　月

星期二

March

19

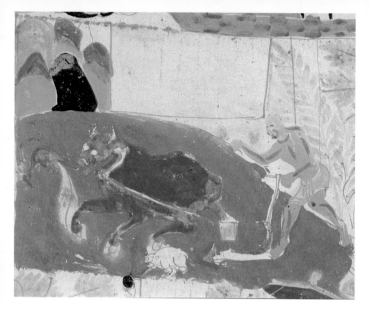

耕种

北周
莫高窟第 290 窟

中古时期，敦煌作为一个绿洲农业区，其栽种的农作物品种的数量已经和近代不相上下，堪称发达，藏经洞出土的敦煌文献中出现的粮食栽种品种名称有 15 个之多。在这幅壁画上，农田中，穿着犊鼻裤的农夫正扶犁驱牛耕地，反映了当时的农耕方式。

甲辰年
二月十一

三　月

星期三

March

20

春
分

山中僧人

西魏
莫高窟第285窟

一位高僧在山间修行，周围青山环绕，僧人坐于草庐中，面带微笑，似有所悟。由于印度夏季炎热，修行者多于较清静的山中建草庐修行，称"夏安居"。这也是佛教石窟寺的雏形，利用天然岩洞修建，供僧人修行、居住。画面中的椅子，是我国目前发现的最早的椅子图像。

甲辰年　　　三　　月　　　　星期四
二月十二

March

21

世
界
睡
眠
日

天宫与栏墙

北魏
莫高窟第 257 窟

天宫是净土世界中佛、菩萨和天人的居所，一般绘在壁面的上部。汉式歇山顶建筑与西域圆券形建筑交互出现的组合方式，极具韵律感。下方栏墙以凹凸的色块表现立体感，说明在北朝时期画工对透视法已经有了一定了解。

甲辰年
二月十三

三　　月

星期五

March

22

平棋

北魏
莫高窟第 254 窟

平棋就是古代的天花板。莫高窟早期洞窟仿照传统建筑形式，在窟顶绘制平棋，起到装饰作用。平棋内部一般绘制三到四个套叠的四方形图案，中心为莲花，外围绘忍冬纹、莲苞、飞天等。

甲辰年
二月十四

三　　月

星期六

March

23

中心塔柱

北魏
莫高窟第 257 窟

此为莫高窟北朝时期最常见的窟形——中心柱窟。洞窟中央的柱子象征佛塔,是信徒们礼拜的对象。一般中心塔柱四周留有空间,塔柱四面开龛塑像,供信徒右旋环绕举行礼佛仪式。

甲辰年
二月十五

三　　月　　　　　　星期日

March

24

人字披顶

北魏
莫高窟第 254 窟

人字披顶是中国传统建筑的屋顶形制，因从侧面看像"人"字而得名。
洞窟中的人字披顶仿照木构屋顶样式，浮塑出椽、檩，并在屋顶下方
安插木质斗拱，椽、檩和椽间的望板上都装饰有莲花、飞天、菩萨等。

甲辰年
二月十六

三　　月

星期一

March

25

覆斗顶窟

西魏
莫高窟第 285 窟

覆斗顶是指洞窟的顶部犹如一个倒扣的斗（旧时量粮食的器具），这种
结构既能增强洞窟的稳定性，也能拓展洞窟的空间感。所以，这种窟形
在莫高窟从北朝到元代都有使用。

甲辰年
二月十七

三　月

星期二

March

26

中心柱
一佛二菩萨塑像

北周
莫高窟第432窟

北朝莫高窟流行中心柱窟，在主室中央建一个连通地面和窟顶的方柱，柱子四面开龛，每一面佛龛中都塑佛像或菩萨像，信众可围着中心柱环绕一圈，观像礼拜。这种窟形来源于古印度的支提窟，是塔和庙两种建筑形式的结合体。

甲辰年
二月十八

三　　月

星期三

March

27

阙形龛

北魏
莫高窟第 254 窟

阙形龛是莫高窟早期，尤其是北魏洞窟中常见的一种龛形，以泥塑出仿
汉式的双阙，并用土红色绘出斗拱、明窗等细节。阙形龛内一般塑交脚
像或思维像，均表现弥勒菩萨，双阙代表的是弥勒菩萨下生成佛之前所
在的兜率天宫。塑像胸口画有对蛇纹，这是流行于中亚的一种纹样。

甲辰年
二月十九

三　月

March

星期四

28

龛楣

西魏
莫高窟第 285 窟

龛楣位于佛龛上方，是洞窟内的重点装饰对象。此幅壁画中，龛楣内绘缠枝忍冬纹，中有两只孔雀相对；外圈绘形状类似火焰的忍冬纹；内圈与外圈之间用白色点绘联珠纹。装饰繁复精细，设色鲜明，以土红、石绿、石青和白色相组合，显得华丽而不失庄重。

甲辰年
二月二十

三　　月

星期五

March

29

斗拱与明窗

北凉
莫高窟第 275 窟

莫高窟洞窟内的建筑大多仿照当时现世中的建筑形制。图中阙形龛完全沿用双阙的样式，不仅塑出瓦陇、鸱尾，还以红色绘出斗拱和明窗。斗拱在屋檐下方起到支撑的作用，明窗为正方形，用以采光。

甲辰年
二月廿一

三　　月

星期六

March

30

木质斗拱

北魏
莫高窟第 251 窟

斗拱是中国传统建筑构件，在横梁和立柱之间挑出，用以承重，同时又具有一定的装饰作用。此窟中，窟顶横枋和立柱均为绘出，斗拱不实际承重，仅起到装饰作用。

甲辰年
二月廿二

三　　月

星期日

March

31

April

肆

月

降龙入钵

隋
莫高窟第 380 窟

传说佛陀成道后，为教化众生而旅行世间。一次佛陀来到弟子迦叶所居之地，借宿石室。当晚修行时，一条毒龙吐出火毒前来袭击，佛陀则以佛光对抗，石室中火光大作。外面的迦叶等人试图救火，但火光始终无法扑灭。等到火光自然熄灭后，众人才发现，毒龙已被佛陀降伏入钵。

甲辰年
二月廿三

四　　月

April

星期一

01

菩萨说法

初唐
莫高窟第390窟

此幅壁画中的主尊为倚坐菩萨，头戴宝冠，身披天衣、璎珞，内着僧祇支，长裙垂至脚踝，跣足置于莲台上。左右胁侍的两位菩萨衣着与主尊相仿。在莫高窟，以菩萨为主尊的说法图比以佛为主尊的说法图数量要少许多，因此这幅壁画尤为引人注意。

甲辰年
二月廿四

四　　月

星期二

April

02

菩萨璎珞

初唐
莫高窟第57窟

观音菩萨慈目低垂，朱唇微启，头戴化佛宝冠，身披由珠宝、金玉雕琢镶嵌、串联而成的璎珞。敦煌壁画和彩塑中的菩萨皆饰璎珞，北朝时期的样式简约，多为金玉环带，其上稍饰珠贝；到唐代，则常常精雕细琢，珠连玉串，镶嵌宝石，网结连缀，长曳至腰，环垂腹前，极显菩萨的高贵华丽之态。

甲辰年
二月廿五

四　　月

星期三

April

03

辇车

盛唐
莫高窟第 148 窟

图中表现的是释迦牟尼涅槃后，力士运送灵柩出殡的场景。装盛灵柩的辇车，底部为须弥座式，由四根木杆支撑起盖顶，并装饰垂幔、花串等，顶部还立着一只金鸡。这应当是根据唐代贵族出殡场面绘制的，是研究古代丧葬习俗的重要图像资料。

甲辰年
二月廿六

四　月

星期四

April

04

清
明

拈花供养菩萨

初唐
莫高窟第 322 窟

供养菩萨坐在池中莲花上，头微微低垂，左手拈莲花一朵，正向画面中央的佛举起，献花供养。他双肩微收，两腿一曲一盘，坐态轻松自然。画家以这个小局部为视角，揭开了佛国鲜为人知的另一面——这里并不总是严肃庄重，似乎也有其闲适自在、优雅从容的一面。

甲辰年
二月廿七

四　　月

星期五

April

05

文殊菩萨

盛唐
莫高窟第 103 窟

唐代中原流行"吴派画风",讲究骨法用笔,施色浅淡。这种画风不仅在长安盛极一时,也传播到敦煌地区。这幅文殊菩萨像就是吴派画风的代表。整幅画重点在于线的利用,仅对菩萨衣饰简单赋色,人物五官轮廓以及衣纹折叠走向,都以富有韵律的线条来描绘。

甲辰年
二月廿八

四　　月

星期六

April

06

千手千眼观音

盛唐
莫高窟第 148 窟

隋唐时期密教已开始流行，图中这身千手千眼观音结跏趺坐于莲台上，有一面、三眼、四十只手，每只手或持法器，或呈不同手相，没有重复刻板的套用，每一只手的刻画都细腻而独特。观音头戴宝冠，冠中有一身化佛，身后头光以波折纹为主，画面整体用色浓重，呈现出与众不同的艺术风格。

甲辰年
二月廿九

四　月

星期日

April

07

行走的佛陀

初唐
莫高窟第 321 窟

这幅说法图的主尊是行走之姿的佛陀。佛前后脚错落,莲花托于其脚下,使佛陀脚不沾地,华盖与花树随行佛陀身后。佛陀一边行走,一边讲法,两位菩萨胁侍左右,一偏头,一侧身,姿态自然,极富生活感。这幅图着重佛、菩萨的神情和姿态刻画,令画面形成一个动态的整体,更加鲜活。

甲辰年
二月三十

四　　月

星期一

April

08

**丝绸质感的
泥塑袈裟**

盛唐
莫高窟第 328 窟

此身彩塑是以木头绑上麦草、麻绳为骨架，外面敷上泥巴雕塑细节，最后进行彩绘制成。但佛像的体态优雅舒展，面容庄严慈悲，袈裟衣纹立体流畅，一点也不让人觉得生硬。特别是袈裟的下摆，从佛身向莲座倾泻而下，被莲座的花瓣片片挑起，仿佛是用柔软丝滑的丝绸制成。

甲辰年
三月初一

四　　月

星期二

April

09

双层方口龛

隋
莫高窟第 420 窟

双层方口龛又称重层方口龛，由内、外两层龛组成。此种龛形在隋代和初唐非常流行，既增加了龛的层次感，又为布置更多塑像留出了空间。内层龛塑一佛、二弟子、二菩萨，外层龛塑两身菩萨，与前代相比，菩萨数量增加了。

甲辰年
三月初二

四　　月

星期三

April

10

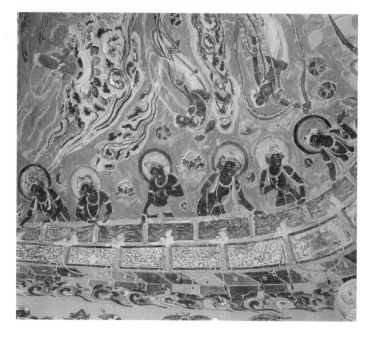

凭栏天人

初唐
莫高窟第 321 窟

图中的栏杆可以看作北朝时期天宫栏墙的一种变体，天人不再中规中矩地居于宫室内，而是凭靠栏杆，有的俯身向下，有的手臂伸出栏杆，一副悠然自得的姿态，具有生活情趣。

甲辰年
三月初三

四　　月

星期四

April

11

乘虎飞仙

初唐
莫高窟第 329 窟

唐代洞窟非常注重龛内顶部的装饰，且每窟装饰各有不同，具有很强的
艺术创造性。如图中的乘虎仙人，周身围绕着如花的云气，长长的虎尾
平衡了身体的比例，极具装饰性。

甲辰年　　　　　四　　月　　　　　星期五
三月初四

April

12

乘龙飞仙

初唐
莫高窟第 329 窟

与乘虎仙人相比,乘龙仙人的衣着更加华丽,他右手托一莲花,侧身向左回望,肩上的飘带随风飞舞,给人以"满壁风动"之感。

甲辰年
三月初五

四　　月

星期六

April

13

捧璎珞
童子飞天

初唐
莫高窟第334窟

常见的飞天大多是身披天衣的成人模样，但图中这一身飞天，却是少见的童子形象。童子乘着花朵状的祥云飞舞空中，姿态灵动活泼，两手持一条璎珞，尺寸显然不适合自己，这或许是敬献给佛陀的供宝？随着这样的联想，童子飞天不再仅是画面装饰的一部分，而是已融入经变画整体的故事之中。

甲辰年
三月初六

四　　月

星期日

April

14

供果飞天

盛唐
莫高窟第 176 窟
史苇湘、欧阳琳临摹

史苇湘、欧阳琳夫妇的合作临摹作品，已达到很高的艺术水平，在把握壁画色彩的同时，又以流畅的线描表现形体，整体复原敦煌壁画的艺术风格，生动体现了古代社会的审美精神。

甲辰年
三月初七

四　　月

星期一

April

15

天王托塔图

隋

莫高窟第380窟

段文杰、史苇湘临摹

段文杰（1917—2011），四川绵阳人。1945年毕业于重庆国立艺术专科学校中国画系，1946年到国立敦煌艺术研究所工作，1982年任敦煌文物研究所所长，1984年任敦煌研究院院长，1998年任敦煌研究院名誉院长。他是敦煌学研究的领军学者，是敦煌壁画临摹事业的开创者之一。

甲辰年
三月初八

四　　月

星期二

April

16

**女供养人
及侍女**

隋
莫高窟第 390 窟

女供养人身着红色交领宽袖上襦、蓝色曳地长裙，身材颀长，站姿优雅。她身后的执扇婢女身着窄袖上襦，肩搭帔帛，长裙曳地。隋代女子的长裙系得很高，上至腋下，裙长曳地，最显女子纤细的体态；裙腰系带前垂膝下，走动时随风摆动，形成飘逸的动感。

甲辰年　　　　　四　　月　　　　　星期三
三月初九

April

17

天乐不鼓自鸣

盛唐
莫高窟第 172 窟

在敦煌壁画所描绘的佛国世界中，存在一支没有演奏者的"无人乐队"。这支乐队由一件件乐器构成，它们身束飘带，翱翔于天际，不用演奏者也可以自行奏出美妙的天乐，即"天乐不鼓自鸣"。在经变画中，"无人乐队"既是佛国天空的装饰，也是佛法神妙的体现，用以烘托歌舞升平、祥和安乐的佛国氛围。

甲辰年
三月初十

四　　月

星期四

April

18

莲花宝珠

隋

莫高窟第303窟

传说摩尼宝珠具有万般神异，能涌出火与水，生出树和花。图中这一枚摩尼宝珠是由花而生。在半开的莲花苞内，有一枚红色的宝珠浮空。莲花最下方的根茎处绘有卷草纹，两根飘带从花茎上生出，飘动在花侧。莲花和宝珠由飞天簇拥，既是纯净的供宝，也是精美的装饰。

甲辰年
三月十一

四　　月

星期五

April

19

谷
雨

乘象入胎

初唐
莫高窟第 57 窟

菩萨结跏趺坐于大象背部的莲花座上。从图中可以看到，莲花座通过套于大象颈下、腹部和臀部的绑带固定在大象身上，与现代骑乘大象的方法一样。大象足踏莲花，象牙上还有两位小天人，充满庄严、梦幻的神秘色彩。

甲辰年　　　　四　　月　　　　　　星期六
三月十二

April

20

夜半逾城

初唐
莫高窟第57窟

乔答摩·悉达多太子决意出家,为避免家人阻拦,在一个深夜悄悄离开王宫,毅然走上修行的道路。图中场景是天人护佑太子骑马出城,天神托举马匹四蹄,一路祥云环绕,为他送行。作为释迦出家的标志性事件,"夜半逾城"是佛教艺术中的重要题材,莫高窟洞窟中多有表现。

甲辰年
三月十三

四　　月

星期日

April

21

牢狱

盛唐
莫高窟第 45 窟

画面右侧的建筑形状比较特殊，内圆外方，墙体很高，仅在靠近地面的地方开一个小门，露出里面犯人的头部，这就是当时的牢狱。关于古代的牢狱，文献记载较少且不明晰，这幅壁画提供了非常形象的资料。

甲辰年
三月十四

四　月

星期一

April

22

世界法律日

**都督夫人
礼佛图**
（壁画现状）

盛唐
莫高窟第 130 窟

莫高窟第 130 窟开凿于盛唐时期，其甬道南、北壁有两幅巨型供养人画像，原本被宋代壁画覆盖。20 世纪 40 年代初，剥去表层壁画后露出了时任瓜州晋昌郡都督的乐庭瓌（北壁）和其夫人太原王氏及女眷的供养像（南壁）。由于后代绘制表层壁画时，对墙壁做了拉毛处理，所以这幅壁画已模糊不清。

甲辰年
三月十五

四　　月

April

星期二

23

都督夫人
礼佛图

盛唐
莫高窟第 130 窟
段文杰临摹

这幅作品是敦煌壁画复原临摹的优秀代表。段文杰先生结合当时壁画现状，对原作的时代背景、艺术风格、人物形象和精神特征、画面的组织结构、绘制的程序等做了深入细致的考证研究，经过反复探索，于1955 年完成了对《都督夫人礼佛图》的研究型复原临摹。

甲辰年　　　四　　月　　　　星期三
三月十六

April

24

**隋文帝
迎昙延法师**

初唐
莫高窟第 323 窟

隋文帝时期，有一年天下大旱，文帝召请百僧作法求雨，却没有起效，文帝便问高僧释昙延。昙延法师说，皇帝治理国家，群臣辅佐理政，天是否下雨，取决于君臣。于是隋文帝亲率群臣，请昙延入朝，设坛传法，果然云起雷动，天降甘霖。人们把此类以神异、灵变和感应的所谓事迹来宣传佛教的壁画，称为"感通故事画"。

甲辰年
三月十七

四　　月

星期四

April

25

天龙八部

初唐
莫高窟第 331 窟

在佛教经典中，天龙八部主要指天众、龙众、夜叉、乾闼婆、阿修罗、迦楼罗、紧那罗、摩睺罗伽等八种非人众生，他们常于佛陀或菩萨座下，聆听说法。其中龙众最容易被辨别出来，图中上排左起第一位，他的头冠呈龙形，正是在认真听佛讲法的龙王。

甲辰年
三月十八

四　　月

星期五

April

26

唐代帝王冕服

初唐
莫高窟第 220 窟

帝王头戴冕旒，身着衮服，身上的十二章纹可辨识出七种，绛色蔽膝，足蹬云纹笏头履。衮冕是皇帝在正式场合穿的礼服，其上的十二章纹代表着帝王的十二种美德。如日、月、星辰，取其照临之意；山，取其稳重、镇定之意；龙，取其神异、变幻之意；藻，取其洁净之意；火，取其明亮之意；等等。

甲辰年
三月十九

四　　月

星期六

April

27

唐代文官头冠

初唐
莫高窟第 220 窟

此身官员簇拥在帝王身边，他身着正式场合穿的朝服，头戴进贤冠，下配黑介帻。黑介帻是官员的重要服饰，是在谒庙还宫、元日冬至朔日入朝、释奠、拜陵等正式场合使用的冠饰。它除了可以和进贤冠、通天冠、远游冠等配合使用外，还可以单独使用。

甲辰年
三月二十

四　　月

星期日

April

28

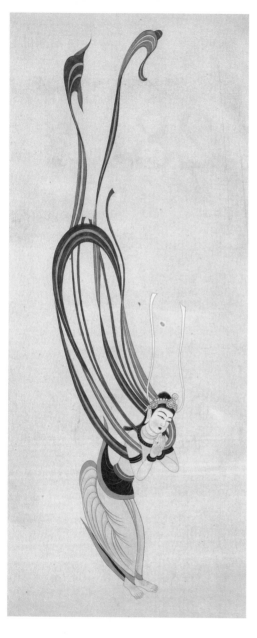

飞天

初唐
莫高窟第 321 窟
刘玉权、史苇湘临摹

刘玉权，1937 年出生，
四川简阳人。1959 年到
敦煌文物研究所工作，长
期从事敦煌艺术临摹、石
窟考古、西夏佛教艺术研
究，尤其在西夏石窟研究
方面成果卓著。独立或合
作临摹敦煌及新疆石窟壁
画六十余幅，其中部分作
品曾多次在国内外展览和
出版。

甲辰年
三月廿一

四　　月

星期一

April

29

世
界
舞
蹈
日

**各国王子
听法图**

初唐
莫高窟第 220 窟
李其琼临摹

李其琼（1925—2012），四川三台人。1952 年到敦煌文物研究所美术组，曾任敦煌研究院美术研究所副所长、研究馆员。长期从事敦煌壁画临摹和研究工作，独立临摹了一百五十四幅壁画，总计一百二十余平方米，被公认为临摹敦煌壁画数量最多、水平最高的画家之一。2009年被甘肃省委、省政府授予"甘肃省文艺终身成就奖"。

甲辰年
三月廿二

四　　月

星期二

April

30

May

伍

月

雨中耕作

盛唐
莫高窟第23窟

画面中央的农夫戴着斗笠赶着牛儿正在犁地,天上乌云密布,雨落成线。下方田间,有三人围坐用餐,如同诗中描写的"同我妇子,馌彼南亩"的场景,颇富烟火气息。

甲辰年
三月廿三

五　月

星期三

May

01

国际劳动节

供案

盛唐
莫高窟第 45 窟

在古代，盘子与碟子有着明显的区别，盘子种类多、形状各异，较碟子大。图中的供案上一边是一个方木盘，中间有高脚盘和平盘，盛有食物，其中高脚盘中装盛的圈装食物，看起来像馓子。

甲辰年
三月廿四

五　　月

星期四

May

02

加工奶制品

初唐
莫高窟第 321 窟

敦煌人食用奶酪的记载在敦煌文书中有很多，制作部分食物时，要添加奶制品。图中妇女正在加工奶制品。她们身体前倾，在容器上方用力搅动，一高一低，从人物动势上能看出制作手法的熟练和配合的默契。

甲辰年
三月廿五

五　　月

星期五

May

03

各国王子听法

盛唐
莫高窟第 194 窟

《维摩诘经变》下部，来自不同国度、不同民族的王子们正恭敬听法。前面的几位上身袒露，皮肤黝黑，着花短裤，赤足，也许是来自热带地区；后面各位头戴本民族的帽冠，均身着各式袍服，有圆领、交领、翻领之别，多为窄袖，个别为宽袖，由不同质地和花色的面料制成。这些服装样式很可能来自活跃于丝绸之路上的各国使臣或商贾形象，但仅凭服饰很难准确判断其属国。

甲辰年
三月廿六

五　月

星期六

May

04

青
年
节

莲瓣小船

盛唐
莫高窟第 148 窟

净土世界庄严美好，但也不乏童趣与可爱。可爱担当自然是刚从莲花中化生出来的童子。莲池中，两个童子以莲瓣作船浮在水面上，表现净土世界的神异。其中一个正伸手将水中的小童往上拉，充满世俗的童真。

甲辰年
三月廿七

五　　月

星期日

May

05

立
夏

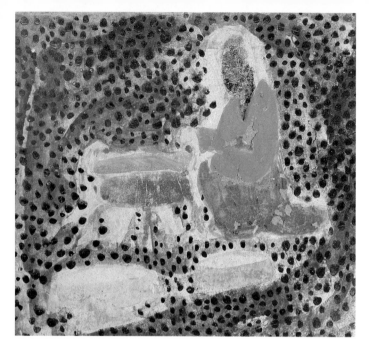

烹饪

盛唐
莫高窟第 23 窟

在鹅卵石铺成的院子当中,一位妇人正用四角铛做饭,铛下火势正旺,一旁放有瓦盆、瓦钵等炊煮器具,这幅壁画生动地描绘出做饭的场景。一顿再平常不过的饭菜,就是家与爱的味道,人间烟火气,最抚凡人心。

甲辰年
三月廿八

五　月

星期一

May

06

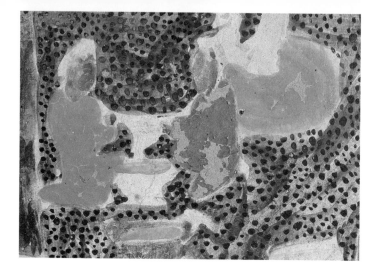

打酥油

盛唐
莫高窟第 23 窟

古时，敦煌人除了饮用奶外，还会制作一些乳制品，其中以酥油为主。壁画中两人在过滤牛奶，其中一人在盛有牛奶的容器中搅动，以使水和奶酪分离，后来人们将此称作"打酥油"。

甲辰年
三月廿九

五　　月

星期二

May

07

得子图

盛唐
莫高窟第 217 窟

高大幽深的庭院内，妇女坐在床上，边上有侍女抱着婴儿。门外一位长者老态龙钟，拄着拐杖，头戴白色三角帽，身后一女童抱着匣子。一般认为这是表示医生看病，也有学者认为这是在为新生儿占卜。

甲辰年
四月初一

五　　月

星期三

May

08

世界红十字日

蒸饼

盛唐
莫高窟第 217 窟

据敦煌文献记载，唐代敦煌的面食主要是"饼"，是小麦面粉类食物的通称。其中，蒸饼较为特殊，由细面制作而成，个头较大，与今天的馒头相似，常出现在敬献神佛和招待尊贵客人的场合中。

甲辰年
四月初二

五　　月

May

星期四

09

对坐会食

盛唐
莫高窟第 148 窟

婚宴图中，男性左侧入座，女性右侧入座，中间食床上摆满了食物。随着围坐合食的出现，坐具和宽大的高食床进入饮食场所，人们的饮食形式发生了前所未有的变化。

甲辰年　　　　五　　月　　　　　星期五
四月初三

May

10

婚礼宴饮

盛唐
莫高窟第 445 窟

宴会不仅是精美食物和精湛厨艺的集中展示，也是古人日常的社交活动。这幅壁画表现了盛唐时期热闹的婚礼宴饮场景，中间摆放案几，放置饮食，如羹汤、酒等。帷帐的中间正举办宴舞，亲友相聚，好不欢喜。

甲辰年
四月初四

五　　月

星期六

May

11

母女服饰

盛唐
莫高窟第 45 窟

母亲梳倭堕髻，女儿梳双丫髻，二人均着襦裙，肩搭帔子，足蹬翘头软底履，是唐朝女性的常见装束。初唐的女子服饰还保留着隋代紧身修长的风格，到了盛唐，女子的体态以丰腴圆润为美，服装轮廓也随之变得宽松起来。图中的母亲体态丰满，衣裙宽松，正符合盛唐的审美风尚。

甲辰年　　五　月　　　　星期日
四月初五

May

12

母
亲
节

香饭

盛唐
莫高窟第 103 窟

此壁画是《维摩诘经变》中的一个场景，菩萨将钵倾斜，倒出香饭，饭香飘散，众人闻香自饱。钵的起源较早，在原始社会就已出现，是一种小口大腹的小盆，作为食器可以用来盛饭、盛菜。

甲辰年
四月初六

五　　月

星期一

May

13

**各国王子
听法图**

盛唐
莫高窟第 103 窟
李其琼临摹

李其琼先生长期从事敦煌壁画临摹和研究工作，努力学习和研究敦煌壁画的特色，不仅完整地理解了敦煌壁画线描的技法，而且运用这套技法的能力达到了一个较高的境界。

甲辰年
四月初七

五　　月

星期二

May

14

都督礼佛图

盛唐
莫高窟第 130 窟
段文杰临摹

段文杰先生长期从事敦煌艺术的临摹、研究和弘扬工作，一生临摹敦煌壁画近四百幅，约一百五十平方米，被公认为临摹敦煌壁画最多、水平最高的画家之一。2007 年，他被甘肃省人民政府和国家文物局授予"敦煌文物和艺术保护研究终身成就奖"。

甲辰年
四月初八

五　　月

星期三

May

15

贵妇服饰

隋

莫高窟第 305 窟

贵妇头束高髻，朱唇娇艳，身着交领上襦，双手在胸前拢于宽大的袖中，裙腰束于胸上，裙长曳地。她身后的侍女也穿着类似的上襦下裙，唯独上襦是窄袖，这样可能更方便其日常劳作和活动。她们都肩搭帔子，长长地垂于身体两侧，站姿优雅端庄。

甲辰年
四月初九

五　　月

星期四

May

16

男供养人服饰

隋
莫高窟第 303 窟

敦煌壁画中的供养人画像大小并不代表真人的身高，身份地位高的人画像更高大，晚辈或侍从的画像相对较小。此图中前面捧着供盘的是男主人，后面三身是其侍从。虽然男主人和侍从均身着红色圆领袍，但男主人在袍服外加了一件翻领披袍，更彰显其高贵的地位和潇洒的气度。

甲辰年　　五　　月　　　　星期五
四月初十

May

17

男供养人

初唐
莫高窟第 329 窟

男供养人双袖于胸前交叠，虔诚跪地，面部已变为黑褐色。他身着圆领绿衣，凸显清净之意。在人物形象描绘上，以遒劲有力的线条表现衣纹褶皱，健硕的身材在线与色的塑造下显得生动形象。

甲辰年
四月十一

五　　　月

星期六

May

18

持莲女供养人

初唐
莫高窟第329窟

女供养人跪于佛陀脚下，双手握莲花，安静而虔诚。她头梳抛家髻，双眉入鬓，素面朱唇，脸颊以淡红色晕染，着圆领窄袖小衫，肩披纱巾，穿细腰长裙。这种窄袖小衫虽是胡服，却是初唐时期较为流行的女装。

甲辰年
四月十二

五　　月

星期日

May

19

持莲女供养人

初唐
莫高窟第 329 窟
段文杰临摹

段文杰先生不仅在敦煌壁画的临摹事业中成绩卓著，他还从 1962 年起从事敦煌艺术研究，特别是在敦煌石窟各时代的风格特色与艺术成就、敦煌服饰艺术等方面的研究中取得了重要成果。

甲辰年　　　　五　　月　　　　星期一
四月十三

May

20

小
满

百害不侵

盛唐
莫高窟第 205 窟

图中红袍男子被毒蛇、毒龙和罗刹鬼包围，双手合十做躲避状，表现的是观音经变中，信仰观音菩萨，坚定心中正念，能"遇诸恶鬼、猛兽害人则可除"，即百害不侵之意。

甲辰年
四月十四

五　　月

星期二

May

21

惊鹄髻

盛唐
莫高窟第 217 窟

跪坐在树下观想的王后头梳惊鹄髻，即将头发在颅顶编盘成受惊之鸟展翅欲飞的样子，又称惊鹤髻。这是一种始于汉末三国魏文帝宫中的发式，《中华古今注》中就有"魏宫人好画长眉，令作蛾眉、惊鹤髻"的记载，后传入民间，历经两晋、南北朝直到隋唐时期，依然很流行。

甲辰年
四月十五

五　　月

星期三

May

22

帷帽

盛唐
莫高窟第 217 窟

正在野外骑行的旅人，身穿红色披袍，头戴帷帽，帽裙垂至肩上。帷帽是在油帽和毡笠等的帽檐上再装一圈丝网或绢纱，贵族还会缀以珠玉做装饰，长及肩颈，以作掩面，既能不让路人窥视到戴帽者的容貌，又可以遮阳和障蔽风沙，具有实用和礼仪的双重作用。

甲辰年
四月十六

五　　月

May

星期四

23

留胡须的男子

隋
莫高窟第 281 窟

男子头系黑色四角巾，额前系二短角，脑后系二长角垂至肩上。他平眉细目，面容慈祥，唇上的胡须撇如竹之细叶，下巴的胡须根根顺滑垂下，应是精心梳理过。看来美髯对于隋代男性的颜值也是一个加分项。

甲辰年
四月十七

五　　月

May

星期五

24

**联珠狩猎纹
和联珠翼马纹**

隋
莫高窟第 420 窟
李其琼临摹

联珠纹是一种骨架纹样，通常是指由一连串大小基本相同的圆点或圆珠
组合而形成的圆形、菱形或其他纹样。这些圆形联珠中分别填充了翼马
和狩猎的图案，带有明显的波斯萨珊风格，是当时工匠对异域纺织品的
艺术再现。

甲辰年
四月十八

五　　月

星期六

May

25

城门

盛唐
莫高窟第 172 窟

此图描绘佛教故事中的王城,城墙在城门处内凹,有三门道,门上方的城楼有五开间,表明此城的规格较高。这种类型的城门常用于古代的皇城,如隋唐洛阳城的应天门和故宫的午门等。

甲辰年
四月十九

五　　月

星期日

May

26

中式宝塔

盛唐
莫高窟第23窟

图中的塔是已经完全中国化了的塔。塔身为方形，顶部为四角攒尖式，屋顶下方有斗拱、枋等构件，均涂成土红色，表示该塔为木构搭建。

甲辰年
四月二十

五　　月

星期一

May

27

钟楼

盛唐
莫高窟第 217 窟

钟楼是中国古代寺院的标配之一，一般为较高的单体建筑。图中钟楼有两层，第二层四面敞开，悬挂一口大钟，旁边有一僧人做敲钟状。钟楼屋顶下方所绘的绿色网状物，称为"雀眼网"，用来防止鸟雀在斗拱间栖息筑巢。

甲辰年
四月廿一

五　　月

星期二

May

28

碑阁

盛唐
莫高窟第217窟

碑阁有两层,第一层无墙,仅以柱子支撑,中心立一块褐色的方柱形石碑,碑上一般铭刻重大事件或功德。这种建筑在我国现存古代寺院中仍能见到,如正定隆兴寺内就有一座类似的碑阁。

甲辰年　　　　　五　　　月　　　　　　星期三
四月廿二

May

29

圆亭

盛唐
莫高窟第 172 窟

莫高窟壁画中保留了多种建筑图像资料，但像图中这样的圆亭较为少见。亭子由六根柱子支撑，梁架和顶部均为圆形，顶上有七重相轮。所有木构件均涂成红色，与绿色屋顶和树叶搭配非但不突兀，反而显得淡雅脱俗。

甲辰年　　　　　五　　　月　　　　　　星期四
四月廿三

May

30

帐

初唐
莫高窟第 323 窟

帐即古人的帐篷，古人行军或举办喜事、丧事时，都会搭建临时的帐。图中的帐以木构件搭成，帐内放光的是佛舍利，表现三国时期高僧康僧会显神通之力，使得吴王信服佛教的故事。

甲辰年
四月廿四

五　　月

星期五

May

31

June

陆

月

着半臂的童子

初唐
莫高窟第220窟

西方极乐世界的水池中碧波荡漾，化生童子们在莲花和莲叶上嬉戏玩耍。上面一身童子身着红色交领短上衣，两袖宽大而平直，长度仅到肘上，这种衣服被称为"半臂"。半臂的名称最早见于唐代，唐初为宫中女侍穿着，后来流行于民间，成为男女皆可穿用的常服。

甲辰年　　　　六　　月　　　　星期六
四月廿五

June

01

国
际
儿
童
节

白鹤伴童子

盛唐
莫高窟第148窟

这是莫高窟第148窟《观无量寿经变》中的一个局部。在华丽璀璨的琉璃地面上，两身童子手执乐器，认真专注地合奏。随着他们的奏乐，两只白鹤舒展翅膀，引颈而舞，周围的莲池中禽鸟自在游戏。整个场景以人与自然和谐相处为主题，不失童趣，描绘了净土世界的美好景象。

甲辰年
四月廿六

六　　月

星期日

June

02

飞天莲花藻井

初唐
莫高窟第 329 窟

藻井是指洞窟窟顶中央装饰的方井，如果把窟顶上半部分看作一个装饰华丽的华盖，那藻井就是华盖的盖顶。井心四角绘制一整四破的莲花，内圈绘逆时针旋转飞行的飞天，中央为盛放的莲花，画面动静结合，极具观赏性。

甲辰年
四月廿七

六　　月

June

星期一

03

花砖

初唐
莫高窟第321窟

佛经记载极乐世界中，七宝池边的地面以金、银、琉璃、玛瑙等铺成，极尽华丽。图中地砖为方形，蓝色为底，饰以四瓣宝相花，整体色调以蓝绿为主，华丽却不喧宾夺主，与建筑相得益彰。

甲辰年　　　　　　六　　　月　　　　　星期二
四月廿八

June

04

日落

盛唐
莫高窟第 320 窟

这幅图是经变画的一部分，也是一幅可以独立欣赏的青绿山水画。人物坐在山崖旁的树下，双手合十，正在观想。面前江水滚滚，远处红日悬空，整个画面远近结合，色彩对比强烈，具有很高的艺术价值。

甲辰年　　　六　　月　　　　星期三
四月廿九

June

05

芒种

世界环境日

龙纹藻井

隋
莫高窟第 392 窟

隋代第 392 窟是覆斗顶窟，窟顶藻井中央绘有双层桃瓣宝相花，两条青龙绕花飞舞，前爪共托宝珠，姿态灵动，飞花与云气点缀其间。青龙身姿纤细修长，吻部微张，四爪尤动，有嬉戏争珠之感，使天高云阔、龙游长空的繁花胜景浮现眼前。

甲辰年
五月初一

六　　月

星期四

June

06

菩萨赴会

盛唐
莫高窟第 31 窟

菩萨正要赶赴一场盛大的法会，于是乘着莲花宝座，驾着漫天彩云，在诸天人、菩萨、力士的护佑下，浩浩荡荡出行，座前迦陵频伽伴驾而歌。这幅画以祥云为背景，充分利用了有限的空间，将诸多人物布局在画面中，构图严密紧凑，但不会给观者以拥挤感，把菩萨赴会时的浩大场面描绘得十分生动。

甲辰年
五月初二

六　　月

星期五

June

07

宝池

盛唐
莫高窟第217窟

《观无量寿经》中记载了往生西方极乐，需要进行十六种观想，其中一个就是宝池观。图中妇人前方为一处迷你宝池，内有八功德水，水中有七宝莲花、色彩绚烂的鸟，池边有放光的摩尼宝珠，以此来营造美妙的极乐世界。

甲辰年
五月初三

六　月

星期六

June

08

**经变画中的
建筑群组**

盛唐
莫高窟第 217 窟

此幅图像以大殿、水榭、亭、台、楼、阁等建筑组合，配以佛、菩萨、伎乐、飞天，构成一个规模宏大的净土世界。建筑以现世寺院和宫殿为蓝本，皆中轴对称分布，画面繁复而不凌乱，设色以红、绿两色为主，华丽而不失庄严。

甲辰年
五月初四

六　　月

星期日

June

09

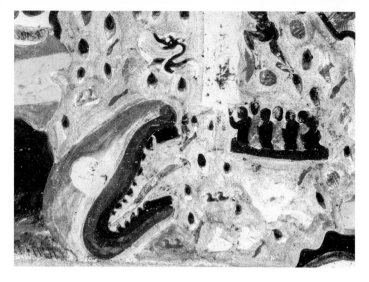

海上乘舟

隋

莫高窟第 420 窟

图中的小舟构造比较简单，漂浮在海上，船上跪坐着七个人，没有桨、橹、帆等部件。画面左下角绘一海兽，张开大嘴向小船咬去。这是表现观音救海难的故事，若在海上遇难，只要默念观音名号，即可得到救度。

甲辰年　　　　　六　　月　　　　星期一
五月初五

June

10

端
午
节

骑牛

初唐
莫高窟第 323 窟

红衣人在前面牵着一头老牛，牛首昂起，缓缓前行。一老妪骑在牛背上，身后还坐着一个小童。小童回头张望的同时，一只手还紧紧地搂着老妪的腰部，生怕不小心跌落。画面十分贴近生活，充满世俗情趣。

甲辰年
五月初六

六　　月

星期二

June

11

肩舆

初唐

莫高窟第 323 窟

我国自古以来就有使用肩舆的习惯，肩舆是需要人力来扛抬的代步工具，一般身份尊贵的人物才能使用。图中有六人共同抬着肩舆，他们弯腰向前，仿佛走得十分吃力。舆顶的垂幔向后飘扬，表现出前行的动态。

甲辰年
五月初七

六　　月

星期三

June

12

牛车

隋

莫高窟第 303 窟

图中牛车双轮很大，为卷棚顶，车厢后方有长长的帷幔。魏晋南北朝时，牛车由于较平稳，成为豪门贵族常用的出行工具，也称为"安车"。在洞窟中，也会将牛车绘在女性供养人行列的末端。

甲辰年
五月初八

六　　月

星期四

June

13

**装宝幢的
四轮车**

盛唐
莫高窟第 148 窟

此图为国王向弥勒佛供奉宝幢后，外道将其拆毁的场景。装宝幢的车为
平板车，周围有低矮的围栏，车有四轮，应该是当时民间常用的短途运
送货物的车辆，一般由人力推拉。

甲辰年　　　六　　月　　　　星期五
五月初九

June

14

四驾轺车

盛唐
莫高窟第 148 窟

轺车是古代的一种较为轻便的马车，由车轮、车辕、车厢和伞盖组成，专供贵族及高级官员乘坐。图中的轺车由四匹马牵引，更显乘车之人身份的尊贵。

甲辰年　　　　　　六　　月　　　　　星期六
五月初十

June

15

坐帐

盛唐
莫高窟第 103 窟

坐帐是魏晋南北朝时期流行的一种帷帐，通常与坐具搭配使用。图中坐帐以四根竿子撑起，顶部隆起，周围装饰有帷幔。值得注意的是，维摩诘身后还竖有屏风，屏风上装饰着方格纹。

甲辰年
五月十一

六　　月

星期日

June

16

父
亲
节

灯轮

初唐
莫高窟第 220 窟

燃灯是重要的佛事活动,不仅藏经洞出土的文献中对此有诸多记载,莫高窟壁画中也有许多燃灯的场景。第 220 窟这一铺尤为精彩,在主杆上安装三层如车轮般的圆盘,圆盘上有安放油灯的孔,一位天人正将油灯放入其中,另一位低头点燃油灯,极富情趣。

甲辰年
五月十二

六　　月

June

星期一

17

水陆交通工具

隋
莫高窟第 302 窟

此幅壁画是古代水陆交通的缩影。陆地上有一辆马车正在过桥，桥下小河中，两人坐在一个半球状物体内。这个乘具应该是"浮囊"，也就是"皮囊"，将羊皮或牛皮整体剥下，向内部充气后扎紧气孔，放入水中就可以浮起来。

甲辰年　　　六　　月　　　星期二
五月十三

June

18

莲池与水榭

初唐
莫高窟第 220 窟

佛经对净土世界有确切的描述："有七宝池，八功德水，充满其中……上有楼阁，亦以金、银、琉璃、玻璃、砗磲、赤珠、玛瑙而严饰之。池中莲华，大如车轮……"因此，莲池是净土世界必不可少的元素，水榭装饰华丽，整体色调清新淡雅。

甲辰年　　　　六　　月　　　　　星期三
五月十四

June

19

戏水

隋
莫高窟第 420 窟

藏经洞文献中有记载，敦煌的贵族在举行祭祀活动时，供献的食物中有"干鱼、鹿肉"，可见敦煌虽地处大漠，但当地不光有畜牧业，还有渔业。画中鱼儿在水草、莲荷间游来游去，还有成双成对的鸭子在戏水。

甲辰年
五月十五

六　　月

星期四

June

20

游泳

隋
莫高窟第 420 窟

山间小河，两人正在水中，双臂双腿上抬，做游泳状。两人身体下方淡淡地罩上一层绿色，以此表现身体浸入水中，写实而又独具匠心。

甲辰年
五月十六

六　　月

星期五

June

21

夏
至

观音救海难

隋
莫高窟第 303 窟

这幅画表现观音救海难的场景，中间圆形的是浮囊，上面挤满了人。浮囊周围有三头张牙舞爪的怪兽，其中一头甚至把手伸到了浮囊边缘。该怎么办呢？浮囊中一位白衣人站起来，做双手合十状，念诵观音名号，很快海怪便退散了。

甲辰年
五月十七

六　　月

星期六

June

22

阅兵图

盛唐
莫高窟第 217 窟
欧阳琳临摹

欧阳琳先生多年研究壁画临摹，对壁画内容如数家珍，她所著《敦煌壁画解读》《敦煌图案解析》等，正是在边临摹边研究的基础上所取得的学术成果，也是如今敦煌艺术学习的优秀参考资料。

甲辰年
五月十八

六　　月

星期日

June

23

骑士

隋

莫高窟第 428 窟

万庚育临摹

万庚育先生怀着对祖国优秀传统文化的满腔热情，于 1954 年来到大漠戈壁深处的敦煌莫高窟，此后一直从事敦煌壁画的临摹与研究工作。她绘制的敦煌莫高窟全景图，全长 9 米，真实、准确地反映了 20 世纪 50 年代的莫高窟全貌。

甲辰年
五月十九

六　　月

星期一

June

24

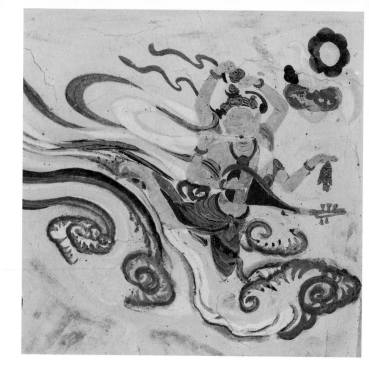

六臂飞天

盛唐
莫高窟第 148 窟

图中是一身密教风格的飞天，在敦煌壁画的无数飞天之中，这一身因多臂而显得尤其特殊。此身飞天有六臂，同时持握四种乐器：前方两手拨弄琵琶；中间一手摇铃，另一手持笛，笛子横于嘴边正在吹奏；后方两手高高上举，正在配合击铙。飞天姿态柔美，帔帛当空舞动，仿佛正奔赴一场盛会。

甲辰年　　　　　六　　　月　　　　　星期二
五月二十

June

25

救堕落金刚山

盛唐
莫高窟第 217 窟

这是《观世音菩萨普门品》中的一个情节，有人被坏人追逐，不小心落下金刚山，此时大呼观世音菩萨法号，菩萨便疾驰而来，救人于险境。画工十分巧妙地表现了这个场景中的"险"：人物头朝下自山崖跌落，菩萨驾着祥云急飞赶来，帔帛高高扬起，连云彩都被这极快的动势拉长，足可见情势之危急。

甲辰年　　　　六　　　月　　　　　　星期三
五月廿一

June

26

远山与扁舟

初唐
莫高窟第 323 窟

水中漂浮一叶小帆，两人坐于船中对谈，船帆张起，小船似轻快地在水中前行。远处群山隐现，画面着色清淡，仅用寥寥几笔，就勾勒出了"孤帆远影碧空尽"的轻快、静谧之感。

甲辰年
五月廿二

六　　月

星期四

June

27

山间行旅

盛唐
莫高窟第 103 窟

一队旅人行走在山间,最前方一人牵象,象身上驮着行囊,中间骑马的
人应该身份较高,后面跟着两个仆从。仆从头戴尖帽,再结合袒露上身
的穿着,应该是来自异域。

甲辰年　　　六　　月　　　　星期五
五月廿三

June

28

纤夫拉船

初唐
莫高窟第 323 窟

画面中间表现的是唐代的一艘大船，船头为方形，船尾尖，仅在船头有一位撑篙的船夫，显然无法支持船在水中前行。往前看去，有两个躬身用力的人，应该就是拉船的纤夫，他们才是此时大船运行的动力来源。

甲辰年
五月廿四

六　　月

星期六

June

29

纤夫服饰

初唐
莫高窟第 323 窟

两位纤夫正在用力拉着沉重的纤绳努力向前，一个回首、一个向前，似在交谈。他们头戴竹篾编成的笠帽，内着小袖衫，外罩半臂短衣，腰系围裙，下着小腿长裤，足蹬便鞋。这样的劳动者装束，从隋唐到明清都屡见不鲜。

甲辰年
五月廿五

六　　月

星期日

June

30

Calendar
2024

7

柒

July

月

梵天及侍从

中唐
莫高窟第 231 窟
万庚育、关友惠临摹

此铺临摹图准确地抓住了人物的表情和动作特征，梵天虔诚地看向主尊佛像，身后侍从微微倾身，似在窃窃私语，为庄严的佛国世界增加了一点活泼的氛围，颇有意趣。

甲辰年
五月廿六

七　　月

星期一

July

01

簪花女供养人

晚唐
莫高窟第 94 窟
史苇湘临摹

史苇湘先生临摹壁画，特别关注壁画中的生活场景，因为人们对佛国世界的想象，都来源于现实社会，充满了对美好生活的向往与寄托。这幅图中的两身女供养人，面若银盘，身形丰满，头顶簪花，手托供品，表情自然宁和，体现出生活之美满富足。

甲辰年
五月廿七

七　　月

星期二

July

02

华盖

中唐
莫高窟第112窟

经变画中为了突出主尊的中心地位，除了将人物形象表现得体量较大以外，还会在其头顶加上华盖。华盖是壁画中表示佛、菩萨和帝王威仪的伞盖。它装饰华美，不仅可以彰显华盖下人物的尊贵地位，还能烘托出场面的恢宏，同时还兼备防晒的功能。

甲辰年
五月廿八

七　　月

星期三

July

03

一抹远山

中唐
莫高窟第112窟

在唐代壁画的角落里总能找到这样的山，或高耸入云，层峦叠翠；或寂静清幽，若隐若现。一般用淡墨干笔擦染，再以浓墨点苔，点画离披、郁茂沉古。在人物众多、图案繁丽的大型经变画里，目光每每落到这一抹远山，思绪总会被带到更远的地方，于清朗中雅意悠然。

甲辰年　　　　七　　　月　　　　　星期四
五月廿九

July

04

山野中的塔

中唐
莫高窟第112窟

"塔"是译经时所造的字，其形大多高耸而顶尖，具有安放舍利或供养佛经器物等功能。图中的塔主要由塔刹、塔身和塔座组成，隐于山野之中，周围不见佛寺，却有朝拜之人，有"山不在高，有仙则名"之意趣。

甲辰年
五月三十

七　　月

星期五

July

05

静水流深

中唐
莫高窟第 112 窟

"草木敷荣，不待丹碌之采"，山脚坡岸，有泉水流淌，墨气华润蕴藉。在唐代，水墨山水还是一种新的绘画表现形式，在审美观念上推动了中国绘画由重视形似逐渐向重视韵味、意境的转变。这幅山水小景已经有了写意的意趣。

甲辰年　　　七　　月　　　　星期六
六月初一

July

06

小
暑

双飞天

中唐
莫高窟第112窟

敦煌壁画里中唐时期的云朵总是成团表现，形似如意的"大脑袋"拖着细长的"小尾巴"，它们是极乐世界中活泼的"气氛组"。两身飞天御风而舞，飞翔在不鼓自鸣的乐器之间，也穿梭在华丽宏伟的天宫建筑中。若仔细观看，飞天衣着与唐代女性流行的石榴裙真有几分相似。

甲辰年
六月初二

七　　月

星期日

July

07

菩提叶下的飞天

中唐
莫高窟第112窟

图中一身飞天乘着彩云从空中飞下，上方巨大的菩提叶仿佛是被超广角的镜头拉开一样，大如车轮。其实，换个角度重新审视我们所处的环境，尝试给人生开个广角，必定收获另外一番景象。

甲辰年
六月初三

七　　月

星期一

July

08

舟渡

晚唐
莫高窟第 85 窟
霍熙亮临摹

霍熙亮（1915—2005），山东益都人。1946 年到国立敦煌艺术研究所工作，1950 年后相继在敦煌文物研究所美术组、考古组、敦煌研究院资料中心工作，曾任考古组组长、副研究馆员。长期从事敦煌壁画的临摹和研究工作，独立临摹壁画三十三幅，合作临摹壁画一百一十八幅，并为敦煌学研究做了大量基础工作。

甲辰年
六月初四

七　　月

星期二

July

09

双环髻
女供养人

晚唐
莫高窟第9窟
史苇湘临摹

史苇湘临摹供养人，尤其注重衣饰、供品的还原。图中两身女供养人的双环髻、发饰、供品、服饰，皆精致细腻，是如今了解供养人服饰的重要研究资料。

甲辰年
六月初五

七　　月

星期三

July

10

持炉供养侍女

晚唐
莫高窟第9窟
欧阳琳临摹

这幅供养侍女与前页图是对同一幅壁画的临摹,但两幅临摹图分别出自两位画家之手。对比可见,不同画家的临摹作品,基本遵照原壁画特征而绘,但线描、色彩等艺术表现的细节,却又体现出各自的不同风格。

甲辰年　　　　七　　　月　　　　　　星期四
六月初六

July

11

对舞

中唐
莫高窟第 159 窟
李振甫临摹

李振甫，1940 年出生，安徽涡阳人。1964 年中央工艺美术学院毕业后到敦煌文物研究所工作，历任敦煌文物研究所美术组副组长、敦煌研究院美术所所长、研究馆员。长期从事敦煌壁画临摹、研究和创新工作，独立临摹壁画十余幅，并创作敦煌壁画相关作品近千平方米。

甲辰年
六月初七

七　月

星期五

July

12

乐舞

中唐
莫高窟第 112 窟

这组图像中，众人都面向中央，有一种极富冲击力的视觉效果。在人类原始艺术萌发时代的早期岩画里，就出现过多达 30 人的舞蹈画面。到了唐代，随着舞乐的不断发展，形成了完备的礼乐制度，此时的经变画中才得以出现这种成熟的乐队图像，画面里这种"无声的音乐"也是我们不可多得的艺术财富。

甲辰年
六月初八

七　　月

星期六

July

13

乐舞

中唐
榆林窟第 25 窟

在这幅乐舞图中，乐队以四人一组分列两侧，左侧自上而下所奏乐器为贝、筚篥、笙、琵琶，右侧为尺八、横笛、排箫、拍板。中间地毯上有一舞伎随乐起舞。

甲辰年
六月初九

七　　月

星期日

July

14

**舞伎与
迦陵频伽**

中唐
榆林窟第 25 窟

舞伎站在方毯上，腾踏起舞。他身前系一红色腰鼓，双臂张开，五指舒展，做击打状，同时低头看向下方的迦陵频伽。迦陵频伽是佛教中的妙音神，人头鸟身，正右手持拨片弹奏琵琶，为舞伎伴奏。

甲辰年
六月初十

七　　月

星期一

July

15

乐伎之一

中唐
榆林窟第 25 窟

这是榆林窟第 25 窟《乐舞图》中的左侧乐队局部，三名乐伎均盘腿坐于地毯上，自上而下所奏乐器为贝、筚篥、笙。他们个个神情专注，陶醉在自己参与演奏的美妙音乐中。

甲辰年
六月十一

七　　月

星期二

July

16

琵琶与拨片

中唐
榆林窟第 25 窟

这是《乐舞图》中的左侧乐队局部。该乐伎横抱琵琶于胸前，左手向上握住琵琶颈部，右手持拨片，做扫弦状。从弦轴数量可以确定这是一把四弦琵琶，四根琴弦清晰可见。这是研究古代乐器的珍贵图像。

甲辰年
六月十二

七　　月

星期三

July

17

乐伎之二

中唐
榆林窟第 25 窟

这是《乐舞图》中的右侧乐队局部，三位乐伎自上而下所奏乐器为尺八、横笛、排箫。他们神情投入，手指跟着旋律跃动，上身半裸，肩部分别披有红色、绿色、褐色帔帛，手腕佩戴手钏。

甲辰年
六月十三

七　月

July

星期四

18

演奏拍板

中唐
榆林窟第 25 窟

这是《乐舞图》中的右侧乐队局部。该乐伎一边演奏拍板，一边张嘴唱和。拍板是一种打击乐器，由数片上圆下方的木片缀成，一般是四至六片，画面中可见六片。敦煌壁画中，演奏拍板的乐伎通常位于头排，可能有指挥的作用。

甲辰年　　　　七　　月　　　　星期五
六月十四

July

19

菩萨

中唐
榆林窟第 25 窟

菩萨头戴宝冠，面部丰圆，肤色白皙，神情端严。他赤足端坐于莲花座中，身后以石绿、石青、赭红绘制出巨大的头光和背光，覆盖于裙摆之下的莲花花瓣轮廓清晰，表现出裙子丝般轻柔的质感，烘托出佛国净土的华丽与庄严。

甲辰年
六月十五

七　　月

星期六

July

20

提净瓶胁侍菩萨

中唐
榆林窟第 25 窟

胁侍菩萨立于白莲青台之上，站姿轻盈惬意。他头戴华丽宝冠，白绿天衣环绕身侧，红色裙摆如浪花翻卷，线条灵动华丽。他左手上举做说法状，右手提一红白色净瓶轻置于腿侧，优雅刚健。

甲辰年
六月十六

七　　月

星期日

July

21

未来的城市

中唐
榆林窟第 25 窟

在佛经描述的未来世界中，种种便利令人瞠目。例如公共设施方面，有大夜叉神清扫路面，大力龙王以微雨洗去地面尘埃，大街小巷有高大的明珠充作路灯，充分体现了古人对未来城市构建的极致想象。

甲辰年
六月十七

七　　月

July

星期一

22

大
暑

大力龙王

中唐
榆林窟第 25 窟

《弥勒经》中有云：大力龙王常于夜半施雨，洒掩尘土，使得行人往来无尘。画面中，山峰远远近近，屋宇之上的天空中，一条龙出没云间，表现的是经文中翅头末城龙王施雨的情节。

甲辰年
六月十八

七　　月

星期二

July

23

胁侍菩萨

中唐
榆林窟第 25 窟

这幅图是敦煌壁画菩萨像的代表作品之一。胁侍菩萨赤足站在莲花上，身姿修长，神情疏朗。此图位于大幅经变画的左侧，或有听法供养之意。人物线条凝练，是中国人物画"以线写形，以线传神"的形象诠释。

甲辰年
六月十九

七　　月

星期三

July

24

菩萨头像

中唐
榆林窟第 25 窟

菩萨头束高髻，戴宝冠，面部丰润，长眉入鬓，目光向前，有和悦之色。遗憾的是颈部以下画面已经残损。人物以墨线勾勒面容轮廓及发丝，仅施以淡彩，嘴角微微含笑，唇上胡须更显其潇洒舒展，给人以沉静亲和之感。

甲辰年　　　　　七　　月　　　　星期四
六月二十

July

25

云中飞天

中唐
榆林窟第 25 窟

"折腰应两袖，顿足转双巾"，在我国文学作品、汉晋墓葬壁画、画像砖中存在着大量的舞人、伎乐形象，当时的社会中客观存在的乐舞形态，有"嬁婉回风态若飞""飘然转旋回雪轻"，都是飞天艺术创造灵感重要的现实蓝本。

甲辰年
六月廿一

七　　月

星期五

July

26

迦楼罗

中唐
榆林窟第 25 窟

在印度教中，迦楼罗是大神毗湿奴的坐骑，其形象为半人半鸟。在佛教体系中，迦楼罗的形象为金翅鸟，以龙为食，有种种庄严宝相，是佛教八部护法神之一，同时也是观世音菩萨的化身之一。在此《弥勒经变》中以头戴鹰头帽的人身形象出现。

甲辰年
六月廿二

七　　月

星期六

July

27

乾闼婆

中唐
榆林窟第 25 窟

乾闼婆，天龙八部之一，原为印度教中的男性神灵。他戴狮头帽，以香气为滋养，浑身散发出浓烈的香气，擅长音乐，被佛教化用为护法神后，常以香气和音乐供养佛陀。有学者认为，戴狮头帽的形象来源于希腊神话里的赫拉克勒斯。

甲辰年
六月廿三

七　　月

星期日

July

28

摩睺罗伽

中唐
榆林窟第 25 窟

摩睺罗伽在佛教中是蟒神，又称地龙，擅长乐器，是佛教天龙八部之一，此处化为人身，但仍戴蟒蛇头饰。摩睺罗伽常受人酒肉，贪吃易嗔，后受观世音菩萨救助，成为佛教护法神。

甲辰年
六月廿四

七　月

July

星期一

29

迦叶与弥勒

中唐
榆林窟第 25 窟

山色青翠，弥勒着红色袈裟乘莲而至，左下方的褐色方毯上，迦叶单膝跪地，手捧僧伽梨。僧伽梨是比丘三衣之一，是僧人外披的大衣，属于袈裟的一种。经文记载，弥勒成佛后，将往迦叶处，取僧伽梨着身，表佛法传承之意。

甲辰年　　　七　　月　　　　星期二
六月廿五

July

30

拈柳

中唐
榆林窟第 25 窟

柳树于春生芽，随风摇曳，柔软慈悲，栽种河边，触水而居。画面中的
菩萨手腕佩戴红色手钏，拇指和食指轻轻捏着柳枝，枝条柔韧，向下垂
落成弧形，圆满而柔和，显露包容万物、救苦救世之意。

甲辰年
六月廿六

七　　月

July

星期三

31

August

捌月

射手

晚唐
莫高窟第 156 窟
段文杰、关友惠临摹

段文杰先生在长期从事敦煌壁画临摹工作的同时，还理性地总结自己和同事们长期的临摹工作经验，撰写、发表了很多论文，将敦煌壁画临摹工作提到了理论的高度，有力推动了敦煌壁画临摹和创新事业的发展。

甲辰年
六月廿七

八　　月

August

星期四

01

张议潮出行图
局部

晚唐
莫高窟第 156 窟
关友惠临摹

1984 年敦煌文物研究所扩建为敦煌研究院,关友惠先生任敦煌研究院
美术研究所所长,他率领美术研究所的工作人员潜心研究古代壁画艺
术,探讨中国传统绘画的技法,并多次主持或参与筹备国内外敦煌壁画
展览,使敦煌艺术不断传播于世界各地。

甲辰年
六月廿八

八　　月

星期五

August

02

二护卫

晚唐
莫高窟第 156 窟
段文杰、关友惠临摹

除了在壁画临摹方面的成就以外，段文杰先生还是中国敦煌学研究的领军学者之一。他在敦煌艺术的民族传统、风格特点、源流演变、艺术成就等方面进行了开拓性的研究，有着独到的见解和精深的造诣，并取得了显著成果。

甲辰年
六月廿九

八　　月

August

星期六

03

普贤赴会

中唐

榆林窟第 25 窟

画面由普贤菩萨及胁侍菩萨等组成。普贤菩萨乘六牙白象,神态祥和,三位胁侍菩萨随侍左右。下部中央有一昆仑奴,赤足半裸,着短裤,右手持棍,做驯象状。白象足踏莲花,空中华盖随风飘摇,颇具动感。

甲辰年
七月初一

八　　月

星期日

August

04

文殊赴会

中唐
榆林窟第25窟

文殊菩萨是释迦牟尼的左胁侍，主掌智慧。他手持如意，乘白狮，三位胁侍菩萨随侍左右。画面下部中央是为菩萨牵狮的昆仑奴，他赤足穿红色短裤，双手挽绳，上身前倾做奋力拉拽状。狮子足踏莲花，双眼圆睁，张口怒吼，威风凛凛，气势雄壮。

甲辰年
七月初二

八　　月

星期一

August

05

药师佛

中唐
榆林窟第 25 窟

药师佛全称"药师琉璃光
如来",他在过去世行菩
萨道时,曾发愿为众生解
除疾苦,趋入解脱,故依
此愿而成佛。这身药师佛
立于莲花上,右手持锡
杖,左手托钵,面如满
月,目光下视,威严中不
失慈悲。

甲辰年
七月初三

八　　月

星期二

August

06

涤暑交秋

中唐
榆林窟第 25 窟

山林中，禅修僧人将宽大的衣襟绕到肩头。初秋的季节山中一片翠绿，偶有微风带来一丝凉意。远近秋树笔少意丰，秀逸遒劲的山石，映衬在两岸崖面错落的溪水之中，远处山景简笔草勾，稍事渲染，一派涤暑交秋的景象。

甲辰年　　　　八　　月　　　　星期三
七月初四

August

07

立
秋

善友与海师

中唐
莫高窟第 154 窟

这幅壁画描绘的是《恶友品》中的场景。船队历经千辛万苦,终于快要到达龙宫,太子善友入龙宫取宝,海中青蛇盘踞着莲花的花茎,虎视眈眈地盯着善友。善友以三昧力踏莲而行,到达龙宫向龙王讲法。龙王受到感召,将摩尼宝珠赠予善友,善友双手捧摩尼宝珠出海,完成取宝目标。

甲辰年
七月初五

八　　月

星期四

August

08

摩尼宝珠雨宝

中唐
莫高窟第 154 窟

此图位于《报恩经变》左侧条幅中部，画面表现名为善友的太子登楼向摩尼宝珠祈祷。摩尼宝珠在长杆顶端的莲台之上，发出道道白色光芒，各色布匹如雨飘落而下。地下有五人，有的前来接宝，有的磕头谢恩，场面热烈。

甲辰年
七月初六

八　　月

星期五

August

09

婚礼

中唐
榆林窟第 25 窟

在中国传统节日里，浪漫的七夕由向会编织云彩的织女星祈福、乞巧演变而来。这幅壁画里是唐代的婚礼。千百年过去，我们和古人生活在同一片天空下，脚下的土地供养着、目送着一个个家庭的组成和繁荣。时光流转，壁画凝固了古人婚礼场景，情感的流动让寂静之处有了声音。

甲辰年
七月初七

八　月

星期六

August

10

七
夕
节

飞天

中唐
莫高窟第468窟
刘玉权、何治赵临摹

何治赵，1957年从四川美术学院毕业后来到敦煌文物研究所，擅长中国画，而且以人物画为主，在莫高窟曾临摹过部分壁画，后调回四川。

甲辰年
七月初八

八　　月

星期日

August

11

出逃

中唐
莫高窟第 231 窟

这是表现《报恩经》中须阇提一家出逃的场景。城墙上搭一长梯，须阇提的父亲正在往下爬。地上有一个黑色包裹，是为七日路程所备粮物。

甲辰年
七月初九

八　　月

August

星期一

12

反弹琵琶

中唐
莫高窟第112窟

这幅乐舞图的人物神态各异,中央舞伎反弹琵琶的造型为世人所熟知。在构图上,组合式乐队排列成八字形,看似简单的一种方向排列,却能恰到好处地衬托中央反弹琵琶的独特舞姿,达到一种视觉上的平衡。

甲辰年
七月初十

八　　月

星期二

August

13

持鼓乐伎

中唐
莫高窟第112窟

乐伎眼眉低垂，正专心演奏双鼓。手起手落，壁画中仿佛传出鼓声阵阵。她长眉、点唇、面靥温润，佩戴的耳环、项链、手镯格外抢眼。数载春风拂过，千年后凝神一瞬露华浓。

甲辰年
七月十一

八　　月

星期三

August

14

箜篌

中唐
莫高窟第112窟

箜篌是一种来自西域的拨弦乐器,画面里的这件箜篌形体较大,弦清晰可见。在庄严的宗教殿堂里,音乐总是能烘托出或神圣或欢乐的气氛,因此常常被绘制到经变画当中。

甲辰年
七月十二

八　　月

星期四

August

15

双鹿衔花

晚唐
莫高窟第 17 窟

中国传统文化中的动物，常常被赋予吉祥的寓意，成双成对的动物组合更是如此。将双鹿描绘为侧面更容易表现它们眼神和衔花姿态的生动。藏经洞壁面上的这对鹿历经千年，见证了历史的变迁，也见证了敦煌文献的发现和流散。

甲辰年
七月十三

八　　月

星期五

August

16

回廊与花

中唐
榆林窟第 25 窟

这幅壁画位于《观无量寿经变》右上部，是回廊间透出的小景。回廊地面铺有"田字"花纹地砖，红色与绿色交替。廊檐之间透出一束粉色花儿，花瓣呈心形，三支四瓣，嫩绿色的七片叶子向两侧舒展，清新简单，姿态可爱。

甲辰年
七月十四

八　　月

星期六

August

17

着礼服的王后

中唐
榆林窟第 25 窟

王后跪坐垂髻，没有佩戴钗钿珠宝，神情肃穆，宽大的衣袖遮住双手。王后所着大袖襦裙似唐代礼服的一种，《事物纪原》中记载："唐则裙襦大袖为礼衣。"王后礼服有青色边饰，应为一般礼服。

甲辰年
七月十五

八　　月

星期日

August

18

供养人虞候海润像

中唐
莫高窟第 144 窟
欧阳琳临摹

中晚唐时期，为了配合藩
镇节度使制度，设置了监
察军中风纪、督察军吏的
武官职位——虞候。图
中这位虞候名海润，正是
第 144 窟的供养人之一。
欧阳琳先生的临摹不仅恢
复了其原貌，更留下了榜
题，以供后人研究探讨。

甲辰年
七月十六

八　　月

星期一

August

19

戏水露台

中唐
榆林窟第25窟

盈盈池水相接，顺宝石铺就的楼梯拾级而上，只见临水露台中瓜果美食琳琅满目，菩萨、天人依次第坐。露台周围边缘设有样式相对简约的单勾栏杆，辅以繁复的花饰装饰，整体造型张弛有度，主次分明。

甲辰年
七月十七

八　　月

星期二

August

20

共命鸟

中唐
榆林窟第 25 窟

传说中共命鸟"一身两头,识别报同",两头彼此嫉妒争斗,以致食毒而灭,警示世人要求同存异、和谐共生。人心至感,物色万象,小到个人命运,大至家国情怀,人类是浩瀚宇里的生命共同体,一荣俱荣,都通此理。

甲辰年
七月十八

八　　月

星期三

August

21

莲叶与
莲花童子

中唐
榆林窟第 25 窟北壁

"莲叶何田田",净土世界的水池中,莲叶碧绿出水,一朵莲花亭亭玉立。莲花中坐一童子,佛教中把他称为莲花童子,也称"化生童子"或"花生童子"。"化生"是佛教用语,指经过修行,在净土世界获得新生。

甲辰年
七月十九

八　月

星期四

August

22

处
暑

女供养人群像

晚唐
莫高窟第 156 窟
刘玉权临摹

此铺作品为复原性临摹，为我们展现了晚唐女子的装束。精致的妆容和透明的网状薄纱，无不是临摹者经过仔细观察、大量对比和研究才能复原出的结果。

甲辰年　　　八　　月　　　　星期五
七月二十

August

23

持炉女供养人

中唐
莫高窟第 225 窟
史苇湘临摹

这身女供养人呈跪姿，左手捏印，右手持香炉，眉目舒朗柔和，正对佛坛中心跪拜供养。史苇湘先生的临摹图富有古韵，生动表现了中唐仕女的形貌衣着。

甲辰年　　　　八　　月　　　　　　星期六
七月廿一

August

24

**着襦裙的
供养人**

晚唐
莫高窟第 12 窟

两位供养人同向而立，前一身为母亲，后一身为女儿，她们手持鲜花，虔诚供养。母亲身着深色印花上襦，蓝色长裙，肩裹薄纱帔帛。女儿身着蓝色上襦，及胸处有一道染绣花带，裙身为双色相间，其上印染植物和小簇花纹，帔帛由肩膊覆盖到手腕处垂下。

甲辰年
七月廿二

八　　月

星期日

August

25

少女供养人

晚唐
莫高窟第9窟

图中的少女头梳双髻，项戴瑟瑟珠，身穿小袖锦绣裙衫，肩披白罗帔帛，窄衫小袖表现出她的窈窕身姿。她双手拢袖而立，神态端正，还显露着几分稚气。此画惟妙惟肖，展现出一个千年前妙龄女子的形象。

甲辰年
七月廿三

八　　月

August

星期一

26

**少女和童子
供养人**

**晚唐
莫高窟第9窟**
李其琼临摹

李其琼先生深入钻研传统壁画艺术，她的临本技巧纯熟，神形兼备，既融入了娴熟的中国画技艺，又体现了画家的艺术修养和创意。这幅画是创意临摹作品的代表。

甲辰年
七月廿四

八　　月

星期二

August

27

夫妇供养人

晚唐
莫高窟第 12 窟

莫高窟第 12 窟是敦煌名门望族索氏的功德窟，窟主为晚唐沙州释门都法律索义辩。索氏在敦煌僧界影响很大，其成员曾担任敦煌佛教僧团的高级僧官员。在此窟东壁窟门上方绘有索氏成员，男女供养人相对胡跪于方形矮榻之上，身后有男女仆从随侍。

甲辰年
七月廿五

八　　月

星期三

August

28

黄衫近事女

晚唐
莫高窟第 17 窟

她是守望在藏经洞的唐
代少女，头梳双垂髻，身
穿黄色的圆领袍衫，腰
系软带。受到晚唐时期
社会审美的影响，袍衫
的袖子和衣摆加长，腰
线下移，衣料在腹部堆
积形成衣褶，显得穿着
者更加丰腴和自在。

甲辰年　　　　　八　　　月　　　　　　星期四
七月廿六

August

29

白衣老人

中唐
榆林窟第25窟

老人头戴黑色纱罗幞头，长长的软脚垂下落在肩上。他身着白色圆领袍服，腰带的位置也偏下，足蹬黑靴。《隋书·礼仪志》中有"大业六年诏，胥吏以青，庶人以白，屠商以皂"的记载，说明在中国古代的礼制社会中，通过服装颜色就可大致辨识人们的身份高低甚至职业。

甲辰年
七月廿七

八　　月

星期五

August

30

**释迦牟尼
涅槃像**

中唐
莫高窟第 158 窟

这是表现释迦牟尼涅槃的雕塑，通长约 16 米，是石胎泥塑。佛像面部饱满丰圆，五官塑造立体中不失柔和，眉眼和嘴角呈微笑状，重在表达其到达涅槃状态的内在精神。佛像在光影的呼应下神情优雅安详、恬淡静谧，是莫高窟大型雕塑中的精品之作。

甲辰年
七月廿八

八　月

星期六

August

31

玖

月

September

比丘讲法

中唐
莫高窟第112窟

这是金刚经变画中的一个场景。山中草木葱茏，一比丘手持如意坐于高座，座下跪四男子，双手合十，做礼拜、听法状。该讲法比丘可能就是《金刚经》中的主角须菩提，佛的十大弟子之一，号称"解空第一"。他与佛的问答构成了《金刚经》的主体，卷末的四句偈文"一切有为法，如梦幻泡影，如露亦如电，应作如是观"广为流传。

甲辰年
七月廿九

九　　月

星期日

September

01

回廊上的
六角钟楼

中唐
莫高窟第112窟

佛国世界钟声阵阵，任由云中不断穿行的彩云飘带，将袅袅余音带到更远的地方。细细寻觅，只见那抄手游廊之上，有六角钟楼稳立其中，表现药师净土的华丽非凡。

甲辰年
七月三十

九　　月

星期一

September

02

花车

中唐
榆林窟第 25 窟

这幅壁画中绘制了一辆大型花车，上面有一座华丽的建筑，只见数人正在将其上的宝物一一拆除。这样的花车既稳稳支撑建筑，又灵活便于移动，兼具美观与实用的功能。

甲辰年
八月初一

九　　月

星期二

September

03

池中水榭

晚唐
莫高窟第 12 窟

这幅壁画中清晰地描绘了亭台水榭的构造，如同入画的水城一般。木桩深入水下，其上搭建铺满琉璃砖的平台。建筑整体视域开阔，微风徐徐之下四周皆为风景，水榭之间有楼梯衔接，颇有一番意趣。

甲辰年
八月初二

九　　月

星期三

September

04

乐舞

晚唐
莫高窟第 12 窟

莫高窟壁画里乐队组合的形式丰富多样,表现姿态绚丽多变。我们虽听不到乐声,但在欣赏唐代乐舞壁画时,仍会被乐伎、舞伎聚精会神、激情奔放的表演神态所打动。

甲辰年
八月初三

九　　月

星期四

September

05

宝顶说法堂

中唐
莫高窟第 360 窟
欧阳琳临摹

这座说法堂三间四柱，须弥座台基，正是经变画中佛说法所在的说法堂。但佛国建筑也是源于现实人间，这是仿唐代大型建筑群的模板而绘。欧阳琳先生的临摹作品选取了其中局部，更能体现建筑的雕梁画栋、精巧富丽。

甲辰年
八月初四

九　月

星期五

September

06

悬崖栈道

晚唐
莫高窟第12窟

人类在面对大自然的考验时，总会想出各种方法来应对。在陡峭的悬崖边上，旅人们背着重重的行囊赶路，步履维艰。为了方便出行及运输，人们在峭壁之上凿出孔洞，打上木桩，修建栈道。"要想富，先修路"，便利的交通是经济文化交流发展的必要前提。

甲辰年
八月初五

九　　月

星期六

September

07

白
露

簪花

中唐
榆林窟第 25 窟

唐代女子常见的发式有半翻髻、惊鹄髻、抛家髻、螺髻等,有近三十种之多。金钗、玉饰、鲜花以及酷似真花的绢花,都是常见的发髻装饰。这三位头梳高髻的女子戴了两种花,右边披花帔帛的女子还在发髻之下插饰月牙形梳篦。

甲辰年
八月初六

九　　月

星期日

September

08

音菩薩便得離欲
若有眾生多於婬欲常念恭敬觀世

帏屋闲话

晚唐
莫高窟第 85 窟
关友惠临摹

关友惠先生在莫高窟工作数十年,临摹壁画数百幅,对敦煌石窟各个时期壁画的风格与创作技法了然于心。他的临摹比较客观真实地表现出敦煌壁画不同时期的风格特色。

甲辰年
八月初七

九　　月

星期一

September

09

读经

中唐
榆林窟第 25 窟

此画面位于《弥勒经变》左上部，山木葱茏，清凉幽静。树下一比丘双手持经轴，坐于木榻之上，专心诵读，下方跪一红衣男子双手合十，静静聆听，表现的是弥勒世界中人们学习佛法的情景。

甲辰年
八月初八

九　月

星期二

September

10

教
师
节

红袍写经人

中唐
榆林窟第 25 窟

林间的写经人头戴幞头，身穿圆领红袍，右手持笔，伏于案上正在抄经。山间一缕清风拂过，写经人只是抚平纸张，继续在树林的环绕下，虔诚专注地修心写经。

甲辰年
八月初九

九　　月

星期三

September

11

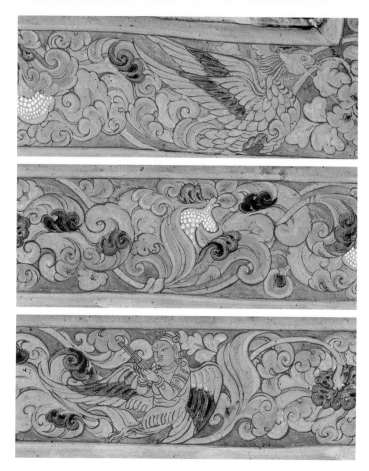

**凤鸟石榴
卷草纹**

晚唐
莫高窟第 12 窟

莫高窟唐代的石榴卷草纹形态丰富，作为一种装饰意象贯穿在洞窟藻井、龛沿、佛背光、服饰等载体之上。图中的凤鸟石榴卷草纹，石榴果实饱满，迦陵频伽吹着笙，凤鸟展开翅膀飞翔在卷草之中，草叶微微卷起，仿若有风吹拂。

甲辰年
八月初十

九　　月

星期四

September

12

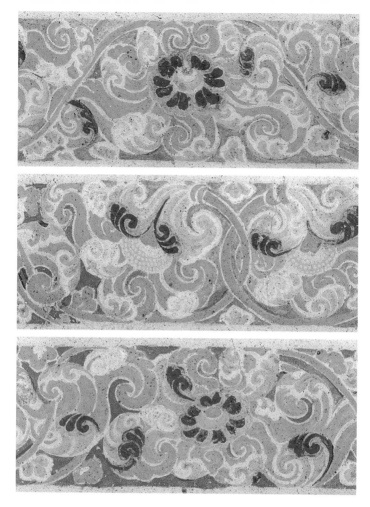

茶花卷草纹

晚唐
莫高窟第 12 窟

这是进入洞窟迎面佛龛龛沿上的边饰，在清淡色调的衬托下，茶花卷草叶片虽短阔却饱满，变色为褐红的茶花笔触，寥寥几笔表现出晚唐时期广受喜爱的茶花纹样。在唐代敦煌石窟中，茶花还出现在藻井井心、经变画边饰、天王彩塑服饰上，延绵不断的藤蔓叶茎扶疏，传递着欣欣向荣、生生不息的美好意象。

甲辰年
八月十一

九　月

星期五

September

13

缠枝花卉头光

中唐
莫高窟第 188 窟
欧阳琳临摹

欧阳琳先生在敦煌壁画的临摹上，除了人物之外，也很注重石窟中装饰纹样的复原。如图中头光装饰，间以线条、色彩分割层次，间隔比例暗藏设计，并在中心绘莲纹、边缘绘缠枝花卉，可见唐代装饰艺术已经达到很高的水平。

甲辰年
八月十二

九　　月

星期六

September

14

林间

中唐
莫高窟第 112 窟
段文杰临摹

寻一处风景优美之所略
作休息，于是成就了柳
宗元那清澈如无所依的
小石潭；探一处奇俊山
川振臂高歌，便有了杜
甫立于山巅俯瞰众山的
豪迈；觅一处静谧所在
对坐闲谈，便有了流觞
曲水、七贤对弈的雅致。
出门去，求一片清净之
地，畅快呼吸。

甲辰年
八月十三

九　　月

星期日

September

15

山水人物

中唐
莫高窟第 112 窟
段文杰临摹

段文杰先生扎根敦煌六十五载，艰苦奋斗、忘我奉献。他是一位技艺精湛的画家，一位治学严谨的学者，一位具有远见卓识的领导者。他为敦煌文物的保护、研究和弘扬事业奉献了毕生心血，做出了杰出贡献，为我们留下了丰厚的精神遗产。

甲辰年
八月十四

九　　月

星期一

September

16

宴饮

晚唐
莫高窟 12 窟

几位男子坐于帐中，矮足长凳和长案的搭配使得饮酒的氛围看起来如此接近现代，与今天三五好友聚会的场景无异。月亮以空灵的光芒向大地施展魔法，无论月圆与月缺，亲朋好友们欢聚一堂的时刻，就有笑声飘荡，广阔的夜空产生涟漪。月亮以不断变化的相位提醒我们，一切都会变化，每一个当下，我们唯有且必须珍惜。

甲辰年
八月十五

九　　月

星期二

September

17

中
秋
节

河流山川

中唐
榆林窟第 25 窟

读万卷书, 行万里路, 是文人墨客增长学识、开阔视野的一种方式。立于山巅之上, 看蜿蜒河流奔腾远去, 一股豪迈之情油然而生, 这是西北山川的粗犷与开阔。从开阔的山川间, 体悟天地浩渺, 人如一粟; 从滚滚长河流逝间, 参详历史滚轮的无可逆转。

甲辰年
八月十六

九　　月

星期三

September

18

鹿饮妙境

中唐
莫高窟第 112 窟

小鹿在山间低头饮水，造型形神兼备，用笔柔和自然。山石、树木、溪水用淡淡青绿点染出来，参差错落又妥帖自然，整体构图疏朗而不空虚，小鹿与山林环境浑然而成一片妙境。画面沉静、自然，饶有情思和天趣，引人入胜。

甲辰年
八月十七

九　　月

星期四

September

19

山间草庐

中唐
榆林窟第 25 窟

不论是《陋室铭》中的陋室，还是《出师表》中的茅庐，古人想象中仙人智者的住所总是远离世俗的。他们往往在人迹罕至的地方，或独自或结伴隐居修行。仅搭建一方草庵容身，抛却身外之物，专注于达成精神世界的追求。

甲辰年
八月十八

九　月

星期五

September

20

天女

晚唐
莫高窟第 196 窟
李其琼临摹

此作颇为精彩，既抓住了人物的动作神态，又细致地描绘出天女繁复华丽的衣饰，体现了临摹者深厚的美术功底和强大的艺术表现能力。

甲辰年
八月十九

九　　月

星期六

September

21

耕获

中唐
榆林窟第 25 窟

日复一日、年复一年的重复劳作,是农耕社会的必要活动,身体的疲惫换来的是丰收的食物。画工将耕作和收获绘于同一画面,既将耕作的辛劳表现出来,又将一分耕耘一分收获的哲理蕴含其中,观者亦可感受到古人丰收的喜悦。

甲辰年
八月二十

九　　月

星期日

September

22

秋
分

二牛耕田

中唐
榆林窟第 25 窟

牛耕图在敦煌壁画中的出现并非偶然，与敦煌石窟处于同一文化圈的诸多墓葬壁画中也有大量类似遗存。耕牛的形象质朴而简洁，与中华先民的社会生活密切相关，并且根植于数千年农耕文明的沃土之上，具有极强的时代特征。

甲辰年
八月廿一

九　　月

星期一

September

23

禅修僧人

中唐
榆林窟第 25 窟

此画面位于《弥勒经变》右上部，一僧人着红色袈裟于山前禅坐修行，山下河水湍急，有一小桥可通行。山前另有一草庐，应为僧人居住所建，草木郁郁葱葱，生机勃勃，山水辉映，意境深远。

甲辰年
八月廿二

九　　月

星期二

September

24

斋僧

晚唐
莫高窟第 12 窟

画面表现的是唐代寺院里的供斋活动，也叫作种"福田"，有通过行善获取福报之意，是一项非常隆重的佛事。寺院廊下有并排而坐的四位僧人，院子里有铺设桌帷的宽大食床，桌旁的人们忙着布置，显得异常热闹，可见斋僧供养的活动即将开始。

甲辰年
八月廿三

九　　月

星期三

September

25

四乘舆车图

中唐
莫高窟第 159 窟
欧阳琳临摹

图中四乘舆车，以牛、鹿、羊为驾车动物，或有华盖，或为敞篷。欧阳琳先生的复现极具场景感，芳草青青之地，古人乘车游耍，好一幅热闹之景。

甲辰年
八月廿四

九　　月

星期四

September

26

流水宴的帷帐

晚唐
莫高窟第 12 窟

这不是文人雅集中的曲水流觞，而是红白喜事中的流水宴，现代中国有些地方仍保留着这个习俗。在自家院子或附近空地上搭建帷帐举办宴席，聘乡厨烹煮佳肴，并邀相熟的邻里参加。这种帷帐通常是临时性的，可快速搭建和拆除。

甲辰年
八月廿五

九　　月

星期五

September

27

盛装新娘

晚唐
莫高窟第 12 窟

新娘头戴凤冠，身着襦裙，发髻抱面。面部敷粉，施朱点唇，罗虬有
"薄粉轻朱取次施"的诗句形容这样的妆容；前额有贴花，卢照邻诗中
写"纤纤初月上鸦黄"，形容唐代盛行的在额间涂上黄色的一种化妆方
法。从古至今，女性追求美的脚步从未停止。

甲辰年
八月廿六

九　　月

星期六

September

28

盛装伴娘

晚唐
莫高窟第 12 窟

盛唐时期女性以健美丰硕为尚，晚唐时期，更为肥大的女装式样逐渐兴起。白居易《和梦游春诗一百韵》中就有"风流薄梳洗，时世宽装束"的诗句。此身伴娘头梳双髻，手执长柄团扇，身着襦裙，"大髻宽衣"正是这种雍容丰腴之风的反映。

甲辰年
八月廿七

九　　月

星期日

September

29

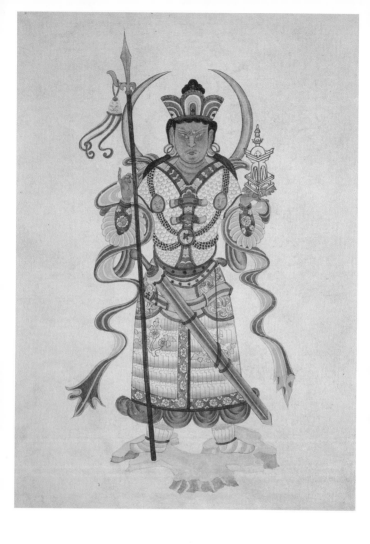

戎装天王

晚唐
莫高窟第 107 窟
关友惠临摹

敦煌壁画的临摹是一项重要的艺术研究工作，是现代美术工作者和古代画工跨越时空进行心灵对话的重要桥梁。关友惠先生通过细致揣摩古代画工的绘画技法，深入了解敦煌艺术的丰富内涵，提升了临摹工作的艺术价值。

甲辰年
八月廿八

九　月

星期一

September

30

Calendar
2024

10

拾 October 月

永昌之县

永昌之县

五代
莫高窟第 61 窟

这是《五台山图》的局部，曾有学者考证，永昌之县即今河北省行唐县。五代时期，因文殊信仰的流行，莫高窟第 61 窟中绘制了四十多平方米的巨幅山西五台山图，图中详细描绘了从山西太原到河北镇州方圆五百多里的山川地貌、人文景观和神灵祥瑞。

甲辰年
八月廿九

十　　月

星期二

October

01

国
庆
节

奔马急行

五代
莫高窟第61窟

"大漠沙如雪，燕山月似钩。何当金络脑，快走踏清秋。"策马奔腾，追的是阳光和旷野的风吗？把平淡琐碎甩到身后，去感受这世界的色彩吧。

甲辰年
八月三十

十　　月

星期三

October

02

对弈

五代
榆林窟第 32 窟
霍熙亮、李复临摹

李复（1922—1986），甘肃敦煌人，原名李福。1941 年张大千来敦煌后为其改名为李复，并将他留下来作为绘画和装裱助手。1953 年至 1985 年在敦煌文物研究所、敦煌研究院美术研究所专职装裱壁画临本，同时承担一部分临摹任务。他装裱的临本有两千余幅，白描线稿五百余幅，临摹的作品有五十余幅。

甲辰年
九月初一

十　　月

星期四

October

03

嫁娶图

五代
莫高窟第 38 窟
关友惠、段文杰临摹

关友惠先生自 1953 年投入敦煌艺术的临摹与研究事业中，当年在生活和工作条件都极其艰苦的情况下，潜心探索古代壁画艺术的技法和艺术特点，一干就是一辈子。此幅嫁娶图表现的是在弥勒世界中，女子五百岁出嫁的热闹场景。

甲辰年
九月初二

十　　月

October

星期五

04

膝下承欢

五代
莫高窟第 61 窟

刘克庄诗中写道:"儿童娱膝下,母子话灯前。却忆江湖上,家书动隔年。"与此幅画面十分接近。一幼童踏步向母亲走来,母亲蹲下伸手接应,裙摆落在地上。这个温情的瞬间留在壁画上,也烙印于人们童年的记忆中,温暖着无数个离开母亲的日夜。

甲辰年
九月初三

十　　月

星期六

October

05

乘象出行

五代
莫高窟第 61 窟

大象智商较高且易于驯化，《尚书·尧典》中记载了舜"象为之耕"的传说，由此可见早在远古时期人类就开始驯化大象。庞大的体形使得大象走路稳健，善于驮运，安全度较高，因此也被赋予了骑乘的功能。

甲辰年
九月初四

十　　月

星期日

October

06

舟渡

五代
莫高窟第 98 窟
霍熙亮、范文藻临摹

范文藻（1923—1983），四川人。1946 年至敦煌艺术研究所工作，历任国立敦煌艺术研究所研究员、陕西省博物馆陈列部主任、陕西省历史展览馆陈列部主任。作品有装饰图案设计、古代绘画临绘等，临摹敦煌壁画作品两百八十余幅。

甲辰年
九月初五

十　　月

星期一

October

07

维摩诘和学童

五代
莫高窟第 61 窟

这幅壁画位于《维摩诘经变》的右侧，图中一间阁楼代表学堂，两名幼童一个抱圆筒状卷轴，另一个双手展开卷轴面向师者。师者就是维摩诘，他正持卷与幼童交流。这幅画表现的是经文中维摩诘"入诸学堂，诱开童蒙"。

甲辰年
九月初六

十　　月

星期二

October

08

寒
露

维摩诘入酒肆

五代
莫高窟第 61 窟

此图位于《维摩诘经变》的右侧中部，酒肆内长桌上可见酒壶和食盘，众人有的觥筹交错，有的演奏乐器，很是热闹。里排左起第一位持扇男性应为维摩诘，他正举扇招呼来酒。这个举动实际却有教化众生的深意，即经文记载的维摩诘"入诸酒肆，能立其志"。

甲辰年
九月初七

十　　月

星期三

October

09

制陶

五代
莫高窟第 61 窟

此图是《楞伽经变》中的制陶场景。经文中以陶器需要经过挖土、和泥、制坯等工序制作，表现"诸佛如来，净诸众生，自心现流，亦复如是，渐净非顿"的义理，颇具哲思，耐人寻味。

甲辰年
九月初八

十　　月

October

星期四

10

逐見文殊者化老人身證明其由
佛遂欲向前刻窅囧朱其日至峰

大

**文殊与
佛陀波利**

五代
莫高窟第61窟

左侧黑袍男子为印度僧人佛陀波利,右侧白衣老者为文殊菩萨所化白衣老人。画面表现的是唐高宗时期,佛陀波利为拜谒文殊菩萨来到五台山,遇到了文殊所化的老人,受到开示,发愿消灭众生的恶念和业障,自印度取回《佛顶尊胜陀罗尼经》,由此将经文传入唐朝。

甲辰年
九月初九

十　月

星期五

October

11

重
阳
节

动物听法

五代
莫高窟第61窟

画面中一菩萨坐于山前的莲座上，正在向静卧四周的两虎、三鹿讲授佛法。老虎和鹿共坐一处，相安无事，共同聆听佛法。这表现的是佛教劝诫杀生的思想，而画面中山水、人物、野兽共存的构图，也表现了古人的人与自然和谐共处的意识与愿望。

甲辰年
九月初十

十　　月

星期六

October

12

龙和云宫

五代
莫高窟第 61 窟

此图是《楞伽经变》中龙王请佛的场景。画面中云层上有一塔式建筑，即为云宫，内有三人。释迦牟尼佛、龙王及其眷属乘坐云宫上摩罗耶山说法。云宫左侧一条青龙腾空而起，云宫之下的海面波涛汹涌。

甲辰年
九月十一

十　　月　　　　　星期日

October

13

娑竭罗龙王

五代
莫高窟第61窟

"娑竭罗龙王现"为《五台山图》中的瑞应之一。娑竭罗龙王又叫娑伽罗龙王，经文中对他的描绘是："身呈赤白色，左手执赤龙，右手握刀，状甚威武。"画面中的娑竭罗龙王并未以此形象出现，而是以其真身——龙身出现。

甲辰年
九月十二

十　　月　　　　　　星期一

October

14

武士图

五代
莫高窟第 108 窟
史苇湘、何治赵临摹

身着彩衣的武士，背对观者，头部微向后转。在敦煌壁画中，这种姿态是非常少见的。史苇湘、何治赵两位先生的合作临摹作品，复原了武士彩衣的鲜艳色彩，为武士身份、衣着帽冠、武器装备等方面的研究提供了样本。

甲辰年
九月十三

十　　月

星期二

October

15

马厩

五代
莫高窟第 98 窟
李承仙临摹

李承仙（1924—2003），江西临川人。擅长敦煌艺术研究、油画、中国画。1946 年国立艺术专科学校毕业后到国立敦煌艺术研究所工作，1982 年调至国家文物局。李承仙在致力于敦煌艺术研究的同时，始终坚持艺术创作。临摹敦煌北魏至元朝各时代壁画三百余平方米。

甲辰年
九月十四

十　　月

星期三

October

16

巍峨的城楼

五代
莫高窟第 61 窟

厚实的夯土城墙在两面开有城门，门上是单层的城楼。画工运用了对日常事物观察的经验，将城楼以透视的方式呈现出来，使得两座城楼在同一平面上都能看到入口。此时的城门大开，行人往来出入无碍，坚实而高大的城楼显示着城池的威严，令人震撼。

甲辰年
九月十五

十　　月

星期四

October

17

天梯

五代
莫高窟第 61 窟

壁画中有很多古人对天际探索的想象，或凭翼飞行，翱翔九天；或踏云
而去，丝带飞扬；或修建一座接通天地的楼梯攀爬而上。图中天梯下达
深海，上通佛国世界，其间云雾缭绕，其上仙人漫步，气势昂然。

甲辰年
九月十六

十　月

星期五

October

18

**想象中的
印度王城**

五代
莫高窟第 61 窟

印度王城的建筑究竟是什么样的？敦煌的画工只能全凭想象。于是他们
将中国古代传统城池结构借以代之。长方形城池中能看到两个城门，门
内仅有单层城楼，转角处有角楼，城内中轴线上有国王的大殿，城中众
人往来频繁。

甲辰年
九月十七

十　　月

星期六

October

19

大佛光之寺

五代
莫高窟第 61 窟

佛光寺东大殿是我国目前仅存的四座唐代建筑之一。1937 年，梁思成与林徽因参考莫高窟第 61 窟的《五台山图》，在山西五台山寻至并确认其为唐代建筑。壁画中的佛光寺坐东朝西，保留廊院式房屋结构，但不见佛塔经幢，院中有院墙隔断，便于僧俗区分。

甲辰年
九月十八

十　　月

星期日

October

20

白衣观音

西夏

莫高窟第 308 窟

菩萨头披白巾，身着白衣，双手结印，结跏趺坐于盛开的青莲之上。她面容恬静安详，白色垂领式袍服的衣纹流畅，加上身后青绿配色的头光和身光，更显尊像的静谧之感。

甲辰年
九月十九

十　　月

星期一

October

21

大建安之寺

五代
莫高窟第61窟

图中建筑为廊院式结构，主殿坐落中央，四周环绕回廊屋宇，形成独立的院落，寺内僧俗交错，香火鼎盛。经历代重建，如今的建安寺早已不见本来面貌，且史籍著录较少，因此，此图或可为古代建安寺的研究提供一点参考。

甲辰年
九月二十

十　　月

星期二

October

22

大清凉之寺

大清凉之寺

五代
莫高窟第 61 窟西壁

大清凉寺是五台山最古老的寺院之一，据《古清凉传》记载，该寺创建于北魏孝文帝时期。相传，文殊菩萨曾坐于清凉石上讲经说法。图中的清凉寺坐西朝东，佛塔立于殿前，布局严谨，主次分明。如今的清凉寺为近代所修，布局构造与之前大不相同。

甲辰年
九月廿一

十　　月

星期三

October

23

霜
降

赶驴

五代
莫高窟第 61 窟

半路撂挑子的驴,在与主人的对抗中越挫越勇。若此时换一种方式去引导前行,或许比生拉硬拽更容易解决闹脾气的驴儿。

甲辰年
九月廿二

十　　月

星期四

October

24

**挑着行囊
的旅人**

五代
莫高窟第 61 窟

现今挑担出行已经十分少见，在古代却是极其常见的。在山间行走时，用扁担把物品担在肩上，既可承载比手拎更多的重量，又可辅助保持平衡。古人从生活中累积的经验，历经时间的考验，在任何时代都通用。

甲辰年　　　　十　　月　　　　星期五
九月廿三

October

25

送供使队伍

五代
莫高窟第 61 窟

镇州城通往五台山的大道上，绘有几组送供使队伍。根据榜题，画面中间小桥右侧，头戴黑色展脚幞头、身穿赤色袍服的送供使应该是来自湖南。他骑着白色高头大马正欲过桥，身后的队伍中有使者牵着驮运物品的骡、驴，其上还插着牙旗，说明这些都是官府所属。

甲辰年
九月廿四

十　　月

星期六

October

26

牵马的旅人

五代
莫高窟第 61 窟

古人运载货物常常使用驴马驮运的方式。为了节省成本，控制马匹，牵马步行便是常态。走南闯北的商人一出门便是以年为单位。那时的车马很慢，琵琶女的歌声唤不回买茶的商人，蛰伏的才华也极易蹉跎于途中，离家远去的学子再见已然两鬓斑白。

甲辰年
九月廿五

十　　月

星期日

October

27

牵骆驼的旅人

五代
莫高窟第 61 窟

被喻为沙漠之舟的骆驼是穿越沙漠地带的商人最佳的伴侣，凭借着超强的耐力以及庞大的身躯，骆驼为往来丝绸之路上的商队运载了一批批丝绸与香料。巨大的温差，恶劣的环境，黄风呼啸，在驼铃声声中，丝绸之路将中西贯通，文化和思想亦在此交流和碰撞。

甲辰年
九月廿六

十　　月

星期一

October

28

建筑彩画龟背纹

西夏
榆林窟第 3 窟

作为藻井边饰的龟背纹，
模仿中国传统木构建筑上
的彩画做法，在每一个六
边形小单元中层层晕染，
用红绿色带并列出多种层
次。由每一个龟背图案的
中心发散出六边，连缀
出富有节奏的几何结构装
饰。这是中国建筑彩画在
榆林窟西夏时期壁画里的
体现。

甲辰年
九月廿七

十　　月

星期二

October

29

缠枝莲花纹

西夏
榆林窟第3窟

唐代曾流行有关
"玉蕊"花的神
话，相传花开时
场面若琼林瑶树
一样壮观。到了
西夏时期，人们
对繁花盛开场面
的描绘又有了新
题材，如这幅缠
枝花卉图案，花
叶颜色红绿相间，
平阔盛开的花朵
向外舒展，藤蔓
重叠、花叶翻转，
用二方连续的形
式将植物生长的
态势传达了出来。

甲辰年
九月廿八

十　　月

星期三

October

30

坛城

西夏

榆林窟第 3 窟

坛城梵文叫作曼陀罗，常见于密教绘画当中，如藏传佛教中的唐卡。密教是相对于显教而言的，区别主要在于修行方式的不同，密教在修行时是"秘而不宣"的，表现在艺术层面上就有风格神秘、装饰繁复的特征。

甲辰年
九月廿九

十　　月

October

星期四

31

11

回鹘女供养人

回鹘时期
莫高窟第409窟

这两身女供养人"宽发双鬟抱面",上插花钗、步摇,头戴桃形凤冠,头后红色结绶垂至地面,双耳佩环垂珠饰,身着翻领窄袖大襦,双手持花枝立于地毯上。这样装扮的回鹘王妃供养像在吐鲁番柏孜克里克石窟中很多见。从服饰特点和同一洞窟里对应的男性供养人像来看,推测这是两位回鹘王妃。

甲辰年
十月初一

十 一 月

星期五

November

01

回鹘王供养像

回鹘时期
莫高窟第 409 窟

这是一幅备受关注的"王者"供养像。最前面的人物身材魁梧,头戴桃形云镂冠,身着圆领团龙窄袖长袍,腰束蹀躞带,手持素面长柄香炉,做虔诚礼佛状。随后的侍从画像仅有前人的一半大小,他们手执伞盖、团扇等。从人物服饰和仪卫配置等推测,最前面这位就是回鹘王。

甲辰年
十月初二

十　一　月

星期六

November

02

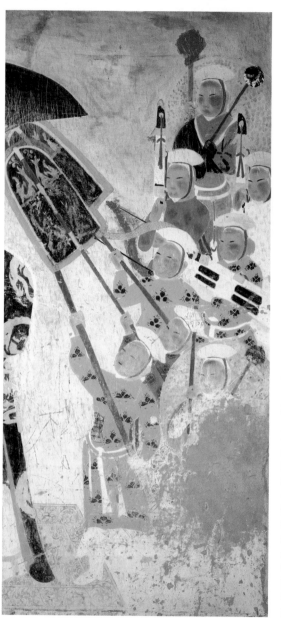

仪卫侍从

回鹘时期
莫高窟第 409 窟

回鹘王身后跟随
的八身侍从，身
形较小，均头戴
扇形冠，两侧用
一条红带系于下
颔处，身着圆领
窄袖花袍，腰间
束双带，脚下着
白色毡靴，分别
举着龙纹扇、权
杖、背盾、伞盖、
弓箭、宝剑、金
瓜等仪卫器物。

甲辰年
十月初三

十 一 月

November

星期日

03

回鹘王供养像

回鹘时期
莫高窟第237窟

这是中唐第237窟中回鹘时期重新绘制的回鹘王供养像。他面圆颈短，双目细长，头戴尖顶高冠，身着圆领窄袖团龙纹长袍，双手奉持供奉物。不同于莫高窟其他回鹘王供养像，此身所着袍服上的花纹装饰为浮塑贴金，身形体态比其他窟的回鹘王供养像稍为瘦削一些。

甲辰年
十月初四

十　一　月

星期一

November

04

回鹘男供养人

回鹘时期
榆林窟第 39 窟

男供养人身着圆领窄袖长袍，腰束二带。从此窟供养人像题名看，有安、赵、梁、索、曹、石、王、张等不同姓氏，可见并非来自同一家族。但是其中很多为安姓，他们的服装形制相同，都着回鹘男性流行的服饰。由于他们面部线条已脱落，很难详述其面貌特征，推测多数为回鹘人，少数或为回鹘化的汉人或为使用汉族姓名的回鹘人。

甲辰年
十月初五

十 一 月

星期二

November

05

回鹘男供养人

回鹘时期
榆林窟第 39 窟

这身男供养人头戴三叉冠，冠后垂结绶，身着圆领窄袖团花长袍，腰束软硬二带，双手持长颈香炉，向着佛窟内方向做虔诚礼拜供养。从衣冠及排列站位来看，他应是沙州回鹘首领。该供养人形象及整个衣冠服饰同新疆吐鲁番及北庭地区佛教遗址中的同类回鹘人物形象颇为相似。

甲辰年
十月初六

十 一 月

星期三

November

06

乐合同 礼别异

西夏
榆林窟第 3 窟

在敦煌壁画中，乐舞的形象常成组出现，尤其是唐代以后，乐舞场面的壁画更是层出不穷。音乐舞蹈作为一种艺术形式，具有巨大感染力，因此自古以来人们对音乐舞蹈的需求从未间断。"入人也深，化人也速"，说的就是由听、见开始，乐舞还具有塑造人的文化心理结构的价值。

甲辰年
十月初七

十 一 月

星期四

November

07

立
冬

元代天女服饰

元代
莫高窟第 61 窟

莫高窟第 61 窟为五代开凿，此画为元代重绘。此身天女头梳高髻，装饰着引人注目的大花朵和如意云头发钗。花髻装饰自唐宋至元明清兴盛不衰，此身天女的装扮也是对世俗服饰风貌的映射。

甲辰年
十月初八

十　一　月

星期五

November

08

着火的宅院

五代
莫高窟第 61 窟

画面中的宅院为中轴对称式布局，四处燃起熊熊烈火。庭院中感受到火的人和动物慌乱逃窜，但屋内三个孩童不知灾劫已至，依旧沉浸在玩乐之中。此图描绘的是《法华经》中的"火宅喻品"。以比喻阐释佛教义理，是佛经中常用的一种文学手法。

甲辰年
十月初九

十 一 月

星期六

November

09

全
国
消
防
日

单龙戏珠藻井

五代
莫高窟第 61 窟

此藻井的四角各饰四分之一朵莲花，花心处有摩尼宝珠。四边装饰了四对鹦鹉，成双成对翩翩起舞。井心的图案为一朵重瓣大莲花，莲花的绿色花心绘制了一条团龙，龙口中衔一宝珠，与四角摩尼宝珠形成呼应。

甲辰年
十月初十

十 一 月

星期日

November

10

大朝大寶于闐國大聖大明天子

即聖窟主

于阗国王
李圣天供养像

五代
莫高窟第 98 窟
冯仲年临摹

冯仲年，1953 年至1973
年期间在敦煌文物研究
所工作，曾临摹过多幅作
品，这幅莫高窟第 98 窟
窟主于阗国王李圣天便是
其中代表。李圣天着衮
冕，腰围蔽膝，两肩各绘有
日月，袖上绘有龙、虎、
云纹，尽显威仪。

甲辰年
十月十一

十 一 月

星期一

November

11

都勾当知画院使

五代
莫高窟第 35 窟
万庚育、李复临摹

这幅图中的人物身前皆有清晰的榜题，从文字可知左侧一身为"都勾当知画院使"，右侧一身为"知画手"。曹氏归义军时期（五代、宋）沙州设有画院，并且分工明确，"都勾当知画院使"就是画院的总管，"知画手"就是画工。

甲辰年
十月十二

十 一 月

星期二

November

12

戴凤冠
女供养人

五代
莫高窟第 108 窟
史苇湘临摹

女供养人头戴凤冠，插花钗，面贴花钿，颊涂胭脂，身着红袍，肩披花帔，项饰瑟瑟珠，华贵典雅，应是位当时敦煌世家大族中的贵妇人。史苇湘先生为了忠实壁画原作，临摹过程中并未添补已经缺损的壁画部分，以学术的严谨态度进行了局部复原。

甲辰年
十月十三

十 一 月

星期三

November

13

女供养人

宋

莫高窟第 256 窟

图中女供养人头戴凤冠，插角梳和步摇，佩戴多重璎珞颈饰，面部化妆的花靥依稀可见，花钗礼衣上有折枝花叶纹，穿丛头履。花钗礼衣是唐代贵妇阶层的礼服之一，由花钗冠、宽袖织锦衣、锦裙、花帔组成，宋代的花钗礼服基本继承唐制。女供养人全身上下花团锦簇，艳丽照人。

甲辰年
十月十四

十 一 月

November

星期四

14

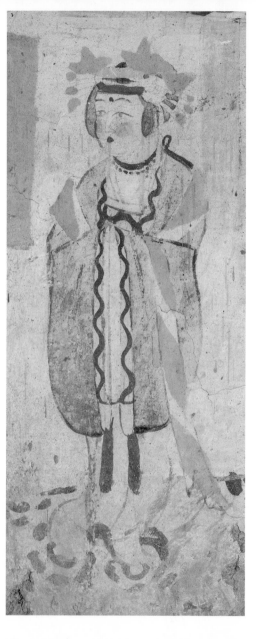

女供养人

宋
莫高窟第 192 窟

此身女供养人位于洞窟东
壁，她头戴花冠，插角
梳，眉间有花钿，面颊红
粉妆，面相丰圆，樱桃小
嘴，着襦裙与帔巾，穿
丛头履。她双手相并于
胸前，虔诚且恬静地看向
前方。

甲辰年
十月十五

十 一 月

星期五

November

15

供养人赵麻玉

西夏
榆林窟第 29 窟

这是敦煌石窟中现存西夏武官服饰图像最为清晰明确的一处。图中的三身均为武官供养人，其中第一身头戴云镂冠，身穿红色圆领窄袖袍，腰间有护髀革带，足蹬乌靴，名叫赵麻玉，时任沙州监军，是西夏时期在瓜、沙二州监军司中的高级武官。

甲辰年
十月十六

十 一 月

星期六

November

16

蒙古官吏服饰

元

榆林窟第3窟

蒙古官吏头戴笠帽，外着深色袍，袍内着浅色交领衫。元代丝织品的单染、套染等练染技术完备，纺织品种有织金锦、彩锦、纻丝、缂丝、印金、织御容等。虽然壁画中这位官吏的衣服并不像是用那些华丽的纺织品制成，但他虔诚的神情依旧令人动容。

甲辰年
十月十七

十 一 月

星期日

November

17

球路纹

西夏

榆林窟第3窟

榆林窟第3窟的藻井边饰中有圆圆相套的球路纹，每一个交叠的区域里都装饰了四叶小花。球路纹下方绘着带有明暗关系的木构纹理，用建筑装饰彩画的表现手法体现出几何图案排列套叠的秩序感。

甲辰年
十月十八

十　一　月

星期一

November

18

西夏植物纹

西夏
榆林窟第 3 窟

绿、红、赭三色相互映衬纠缠,经过几百年,这幅植物图案曾在遮天蔽日的沙尘里被尘土覆盖,又被风吹落。敦煌石窟独特的环境让时间在壁画表面留下痕迹,看藤蔓扭转、花瓣张扬,不变的是古人追求生机、寄托希望的心。

甲辰年
十月十九

十　一　月

星期二

November

19

凤鸟纹

西夏
榆林窟第 3 窟

凤鸟纹是具有悠久历史渊源的中国传统图案，汉代墓葬石刻、唐代工艺美术品、佛教石窟壁画里都有凤鸟图案。在西夏石窟里，和缠枝植物、祥云瑞兽的组合，使得凤鸟又呈现出另一种独特的面貌。

甲辰年
十月二十

十 一 月

星期三

November

20

托钵药师

回鹘时期
莫高窟第 310 窟

药师佛是佛教进入中国以后产生的。作为东方净土世界的主尊，药师佛曾发下十二大愿，祛除世间灾厄，因此广受民众喜爱。在唐代洞窟中，常出现药师像和药师经变画。

甲辰年
十月廿一

十 一 月

星期四

November

21

散花飞天

五代
莫高窟第 61 窟

地面的山川障碍总有难以跨越的地方，天空一望无际的广阔多么令人向往。古人对飞天的想象便从驾一朵祥云开始，身姿曼妙舒展，任由风拂动飘带，漫天鲜花如雨般散落，清音悦耳如入仙境。

甲辰年
十月廿二

十 一 月

星期五

November

22

小
雪

作战图

五代
莫高窟第 98 窟
李复临摹

士兵们全副武装,骑着战马,冲向前方。旌旗向后展开,表现马匹奔跑速度之快。细看整齐的列阵中富有一些细节变化,每个士兵动作略有不同,整体画面美观协调。

甲辰年
十月廿三

十 一 月

星期六

November

23

山间建筑

西夏

榆林窟第3窟

我国古代山水画中为了表现山林高古深幽的意境，常将建筑的比例画得稍小，且隐于山林之间。此图中宫殿阙宇错落有致，随山势高低起伏，若隐若现。

甲辰年
十月廿四

十 一 月

星期日

November

24

茅庐

西夏
榆林窟第 3 窟

西夏王朝深受中原文化的影响，房屋住宅结构基本汉化，但部分地方仍保留了其民族特色。图中的茅庐，穹庐顶式屋顶结构，上衔宝刹，下与斗拱结合，连接墙体，坚固美观而又独具民族特色。

甲辰年
十月廿五

十 一 月

星期一

November

25

山间小院

西夏
榆林窟第 3 窟

此图位于《普贤变》中部,画面中山势陡峭,风景秀丽,气候宜人,是文人墨客修行避世的好去处。山林间隐隐能看到的栅栏小院,造型简洁,布局精巧,不禁令人赞叹其堪比五柳先生的南山小院,悠然自得。

甲辰年
十月廿六

十 一 月

星期二

November

26

观沧海

西夏

榆林窟第3窟

这是《文殊变》背景中的山水图。画工笔下山海相连，水波滔滔，如曹操在其《观沧海》中所写的"东临碣石，以观沧海。水何澹澹，山岛竦峙。树木丛生，百草丰茂。秋风萧瑟，洪波涌起"，壮阔豪迈。

甲辰年
十月廿七

十　一　月

星期三

November

27

神异的山洞

西夏
榆林窟第3窟

山间有一个带门的洞穴，一束光芒漫射而出，仿佛有异宝出世。原始社会的人们普遍都居住于洞穴之中，由此产生了对居住之地的崇拜，发展至道家文化中，洞穴便成了可以通天修仙的洞天之地，其中尤以"十大洞天"为最，为群仙居住之所。

甲辰年
十月廿八

十 一 月

星期四

November

28

人间帝王出行图
局部之一

五代
莫高窟第 61 窟

即使在佛前，人间帝王的排场也要够大。仪仗随行托扶其侧，文武百官立于身后。绘画笔触细腻有力，整体形象塑造有着恰到好处的夸张，将人间帝王出行的声势浩大全然表现了出来。

甲辰年
十月廿九

十 一 月

November

星期五

29

**人间帝王出行图
局部之二**

五代
莫高窟第 61 窟

此图位于《人间帝王出行图》的最前端，持杖的白袍男子为仪仗的先导，身后的昆仑奴双手举香炉于头顶，后三名侍女捧鲜花和长柄香炉，以表现人间帝王对佛的供养。

甲辰年
十月三十

十 一 月

星期六

November

30

拾贰

December

月

宫殿群落

西夏
榆林窟第3窟

敦煌壁画中有大量的建筑物形象，一般描绘大型建筑群落时，多采用界画的方法，配合各类绘画工具，保证宫殿群落的规整与对称。此幅壁画中的建筑以组群形式出现，主殿、配殿以及角楼等建筑构图清晰而功能明确，大量人物在当中却不显杂乱，可见画工有强大的构图能力。

甲辰年
冬月初一

十 二 月

星期日

December

01

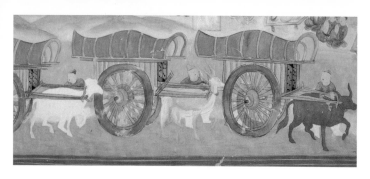

三车

五代
莫高窟第 98 窟
李振甫临摹

图中三辆车形制相同，但所使用的畜力不同，从右到左分别是牛、鹿、羊。《法华经》中常用这三车来隐喻佛教中的三种修行方法。

甲辰年
冬月初二

十 二 月

星期一

December

02

交
通
安
全
日

白衣天女

元
莫高窟第 3 窟

天女身穿白色交领长袍，
肩披镶金花纹的云肩，
正符合"金绣云肩翠玉
缨"描述的样子。她的
袍衫袖口虽然窄小，但
袖身宽大的下摆与衣服
的层次叠加，更显雍容
华贵。红色的裙身和帔
巾部分，面料看似元代
十分流行的大红色织金
锦，带有游牧民族贵族
所推崇的服装样式特征。

甲辰年
冬月初三

十 二 月

星期二

December

03

凤首龙

西夏
莫高窟第 400 窟

常规的龙应该是蛇、鳄鱼、鹰、鹿的组合体,这幅图却是凤首龙身,是将瑞兽中两个"王者"——龙和凤结合到了一起。这个组合不但在敦煌壁画里独一无二,在我国古代绘画史上也极为少见。

甲辰年
冬月初四

十 二 月

星期三

December

04

龙

五代
莫高窟第61窟

此图位于《五台山图》的中部上方，左侧有题记"大毒龙二百五十云"，表现的是《五台山图》中的祥瑞之一。画面中一簇红色祥云中绘有十五条青龙，青龙背生双翼，身姿矫健。此处取虚数，以十五代二百五十。

甲辰年
冬月初五

十 二 月

星期四

December

05

普贤变

西夏
榆林窟第 3 窟

普贤菩萨乘白象凌空前行，众天人簇拥周围。远山峻峭，林隐其中，左侧的礁石上玄奘一行正在行拜谒之礼，海面上云气翻腾，烟波浩渺。

甲辰年
冬月初六

十 二 月

星期五

December

06

大雪

普贤菩萨

西夏

榆林窟第3窟

画面中的普贤菩萨左脚盘起，右脚踏莲花，坐于莲花座上。他面相丰圆，衣饰华美，乘象而行，帔帛飞舞，可见"风吹仙袂飘飘举"。身后巨大的背光用蓝绿色勾染，清澈透亮，下方云波浩渺，仙气升腾。

甲辰年
冬月初七

十 二 月

星期六

December

07

文殊菩萨

西夏
榆林窟第 3 窟

这幅文殊菩萨像是敦煌菩萨画像的代表作品之一，文殊菩萨持绿色如意，面容端庄，双目下视，长眉入鬓。身后石绿、石青晕染、墨线勾勒出巨大的头光。菩萨头戴华丽宝冠，以墨线勾勒面部，头发用石青染制，唇上胡须增加一抹俊朗之意，给人以沉静潇洒之感。

甲辰年
冬月初八

十 二 月

星期日

December

08

执莲胁侍菩萨

西夏
榆林窟第 3 窟

此图所绘胁侍菩萨面容俊朗，神情恬静，左手拈花茎，右手向上轻轻托起，莲花、莲叶淡雅的蓝色与其发色呼应。菩萨的发丝被风吹起，线条轻盈舒展，风格清新明快。

甲辰年
冬月初九

十 二 月

星期一

December

09

莲花童子

西夏
榆林窟第3窟

此图位于《文殊菩萨出行图》的右侧下方，莲花童子持莲供养文殊菩萨。童子周身赤裸，脖子上戴着一个项圈，头顶只留前额两缕短发，是西夏流行的一种髡发造型。他手捧莲花，神态庄重，绿色飘带飞扬在身前，憨态可掬。

甲辰年
冬月初十

十 二 月

星期二

December

10

玄奘取经图

西夏
榆林窟第 3 窟

玄奘于唐贞观元年（627 年）踏上西行取经之路，途经瓜州时，胡人石磐陀作为其向导。玄奘的取经故事被后人赋予了神话色彩，开始作为话本广为流传，石磐陀也逐渐被演绎成了孙悟空。图中便是玄奘及石磐陀在取经途中谒见普贤菩萨的场景。

甲辰年
冬月十一

十 二 月

星期三

December

11

曹议金供养像

五代
榆林窟第 16 窟

曹议金是敦煌归义军节度使。此身供养像高达 1.67 米，几乎与真人等高。画像中曹议金头戴展脚幞头，身穿绛色宽袖长袍，双手端着香炉，恭敬而虔诚地面佛礼拜，显示出一代瓜沙统治者的威严仪容。身后两身侍从精神抖擞，持宝刀、弓箭和箭囊。

甲辰年
冬月十二

十　二　月

星期四

December

12

曹元忠供养像

五代
榆林窟第 19 窟

本窟是归义军节度使曹元忠的功德窟，此身供养人像便是曹元忠的画像。他身后一身小的男像，是他的儿子曹延禄。在归义军曹氏三代对敦煌地区长达一百二十余年之久的统治中，敦煌出现了相对经济繁荣、四方安定、各民族交往频频的繁荣景象。曹氏家族笃信佛教，在莫高窟和榆林窟开凿了大量的洞窟。

甲辰年
冬月十三

十 二 月

星期五

December

13

凉国夫人 翟氏供养像

五代
榆林窟第 19 窟

凉国夫人翟氏，头戴凤冠，发插步摇，面贴花钿，两鬓包面，身穿大袖襦裙，肩搭帔帛，装扮华贵至极。夫人的服饰颜色与丈夫曹元忠是一样的，这是遵从了古代社会"妇人之衣从夫色"的礼仪规定。

甲辰年
冬月十四

十 二 月

星期六

December

14

曹氏女供养人

五代
莫高窟第 61 窟

这是莫高窟第 61 窟曹氏家族女供养人群像，第一身为曹元忠之父曹议金的回鹘夫人，第二身为曹元忠姊，即嫁给甘州回鹘王的天公主。两身形象都头戴桃形冠，身穿翻领大袍，项饰珠宝，面部装饰花钿。为了政权稳定，曹氏家族长期与东面的回鹘、西面的于阗进行联姻，从供养人的排列顺序就能看出曹氏对回鹘的重视。

甲辰年
冬月十五

十 二 月

星期日

December

15

**回鹘公主
供养像**

五代
莫高窟第 98 窟

女供养人旁榜题书："敕受开国公主是北方大回鹘国圣天可……"此公主为甘州回鹘王之女，曹议金夫人，与曹议金同为此窟的窟主。回鹘曾在安史之乱时发兵济难，助唐朝安定两京，为此，曾被唐王赐姓李，故曹议金的回鹘夫人题记亦称"陇西李氏"。

甲辰年
冬月十六

十 二 月

星期一

December

16

窟主敕授清河郡夫人慕容氏一心供養

女供养人

宋
莫高窟第454窟

这是洞窟南壁东起第三身女供养人，她头戴凤冠，插角梳、衡笄，戴珠玉颈饰，手捧香炉而立。其左侧题记仅能辨识"慈母"二字，应为曹氏女性。该窟窟主极有可能是曹元忠之侄、继任敦煌节度使的曹延恭及其夫人慕容氏。曹氏统治时期，慕容家族在政治、经济、军事等方面的地位举足轻重，曹延恭娶慕容氏为妻也多有政治上的考虑。

甲辰年
冬月十七

十 二 月

星期二

December

17

耕作图

西夏

榆林窟第 3 窟

画家运用强健有力而简洁沉稳的线条勾勒出耕牛的形体、筋骨和动势，笔法粗放、凝重，塑造出奋力耕耘的两头牛。它们头架横杆，横杆连接着犁辕，右蹄同时扬起。这是一种直辕犁，因其吃土深，翻土量小，更易保持土壤水分，所以在干旱的敦煌地区被长期使用，在敦煌壁画中也大量出现。

甲辰年
冬月十八

十 二 月

星期三

December

18

踏碓图

元代
榆林窟第3窟

农夫手扶支架,用脚踏碓。将有壳类粮食,如小麦、粳米、粟黍等,放置在石头打制的臼内,用木碓的力量将粮食与外壳分离,称为舂碓。民以食为天,古人日出而作,日入而息,凿井而饮,耕田而食,随之发展出独具智慧的工具。

甲辰年
冬月十九

十 二 月

星期四

December

19

酿酒图

元代
榆林窟第 3 窟

这是世界上现存最早的蒸馏式酿酒图。经考证，图中灶台上的塔状器物为烧酒蒸馏器，两女子正在添柴烧火，制作烧酒。《本草纲目》中有"烧酒非古法也，自元时始创其法"的记载。这是我国源远流长的酒文化的实证，也是古代女性劳动者的时光掠影。

甲辰年
冬月二十

十 二 月

星期五

December

20

百戏

西夏

榆林窟第 3 窟

画面里三人穿的是百戏衣，手中挥舞着道具，表演得热火朝天。西夏时期的衣冠制度里规定，男子以穿着圆领窄袖的袍服为主，搭配幞头，与唐朝流行的男子服装相似。合身的服饰让这些演员得以尽情舒展表演动作，场面热闹非凡。

甲辰年
冬月廿一

十 二 月

星期六

December

21

冬
至

海船

宋
莫高窟第 55 窟

《观世音菩萨普门品》中记载，海上有罗刹国，国中尽为食人恶鬼。一艘海船不幸遭遇暴风雨，偏离了航线，误入罗刹国海域，船中众人惊惧交加。幸有船员信奉观音，组织众人双手合十，口诵观音名号，随即脱离了险境。

甲辰年
冬月廿二

十　二　月

星期日

December

22

各族王子

五代
莫高窟第98窟
万庚育临摹

王子们面相大致相同，都在虔诚地听法，那么怎么知道他们是来自不同族属的呢？答案就是看他们的服饰，图中五位王子的头饰、衣袍在款式、颜色、花纹上均有差别，以此来体现他们的民族特征。

甲辰年
冬月廿三

十 二 月

星期一

December

23

持花飞天

宋

莫高窟第 165 窟

万庚育、关友惠临摹

飞天右手持一莲枝，回首望向后方，身后翻飞的飘带和衣裙占据了很大一部分画面，以此来衬托飞天的灵动婀娜。莫高窟用这种方式表现的飞天十分常见。

甲辰年
冬月廿四

十 二 月

星期二

December

24

龙王礼佛

五代
莫高窟第 36 窟
史苇湘、霍熙亮临摹

史苇湘先生认为，敦煌壁画的临摹不仅是一项画面保存工作，更是敦煌艺术的重要研究方法。在 20 世纪四五十年代，敦煌石窟的许多内容尚未得到翔实考证，壁画临摹正是内容考证的必要组成部分。

甲辰年
冬月廿五

十 二 月

星期三

December

25

供养菩萨

西夏
莫高窟第 328 窟

这组供养菩萨为西夏时期绘制，人物姿态优雅，神情端严，大小与真人等高，颇有气势。画面保存完整，线条流畅，色彩淡雅，是西夏时期绘画艺术的代表。

甲辰年
冬月廿六

十 二 月

星期四

December

26

舞蹈者

五代
莫高窟第98窟
关友惠临摹

关友惠先生与无数敦煌石窟的保护研究者一样，择一事终一生，对工作任劳任怨，对青年后学则是尽力扶持。他的画作为我们今天认识和临摹古代壁画提供了重要参考，他的研究成果为我们后来的学术研究打下了基础，铺平了道路。

甲辰年
冬月廿七

十 二 月

星期五

December

27

飞天

回鹘时期
莫高窟第 245 窟
李其琼、关友惠临摹

图中的飞天看起来十分立体，画工利用近大远小的透视关系，将飞天上半身画得比较大，似在前方，腿部较小在斜后方，仿佛飞天正在朝着我们缓缓靠近。

甲辰年
冬月廿八

十 二 月

星期六

December

28

持花飞天

元
莫高窟第3窟

飞天右手托朵莲，左手扶长茎将白莲扛于肩上。金色祥云衬托着红色的裙裾和飘带，身体姿态富有舞蹈的动感。据说在佛教的诞生地印度，飞天的造型动态很多都来源于舞蹈，在中国飞天的服饰造型里同样能看到舞蹈艺术的影子。

甲辰年
冬月廿九

十 二 月

星期日

December

29

簪花飞天

元
莫高窟第3窟

双手捧花盘的飞天头上簪花，绿色的花朵被乌黑的头发衬托得更显莹润。
飞天身下有金色祥云衬托，云朵翻卷，层层叠叠，线条表现丰富有力。

甲辰年
冬月三十

十 二 月

星期一

December

30

童子飞天

西夏
莫高窟第 97 窟
万庚育、刘玉权临摹

图中的童子身体健硕，脚踩红色小靴，身披飘带，飞翔于佛国天空。左手执一朵莲花，似正要扔下。时至岁末，启一元复始，待四序更新。

甲辰年
腊月初一

十 二 月

星期二

December

31

编撰说明

敦煌石窟，是古敦煌郡境内营建的敦煌莫高窟、西千佛洞、瓜州榆林窟、东千佛洞等石窟群的总称，是世界上现存规模最大、延续时间最长、内容最丰富、保存最完整的艺术宝库。既承载了中华传统文化的精华，又闪耀着世界多元文明的光芒。

敦煌研究院是负责世界文化遗产敦煌莫高窟、天水麦积山石窟、永靖炳灵寺石窟，全国重点文物保护单位瓜州榆林窟、敦煌西千佛洞、庆阳北石窟寺管理的综合性研究型事业单位。其前身是 1944 年成立的国立敦煌艺术研究所，1950 年改名为敦煌文物研究所，1984 年扩建为敦煌研究院，遵循"保护、研究、弘扬"的工作方针，几代莫高窟人"择一事，终一生"，攻坚克难，锐意进取，铸成"坚守大漠、甘于奉献、勇于担当、开拓进取"的"莫高精神"，在文化遗产保护、研究、弘扬和管理各领域取得了卓越成就。

本日历按照时间顺序，将敦煌石窟大致分为四个阶段：十六国北朝时期（366—581）、隋至盛唐（581—780）、中晚唐（780—907）、五代至元（907—1368），分别对应春、夏、秋、冬四季，以历史长河在石窟中留下的痕迹表现时光的流逝，也使不同时期石窟的特色更加凸显。每一季精选不同社会地位、性别和年龄的供养人，以他们的视角，用生动的敦煌壁画和深入浅出的解说展现那个历史时期的衣食住行、乐舞娱乐、精神信仰等，用文物来讲故事，让这些历史再次鲜活。

2024 年是敦煌研究院建院 80 周年，本日历精选 15 位在 1943—1964 年间来到莫高窟的老先生们的壁画临摹作品，意在致敬前辈守护敦煌石窟的高尚精神，激励当代莫高窟人继往开来，将敦煌文物事业持续发扬光大。

撰　　稿：高　雪　高兆男　焦响乐　王　娇
　　　　　武琼芳　杨瀚林　杨　婕　张韵涵
　　　　　（按姓氏拼音排序）
统　　稿：武琼芳　王　娇　高兆男

图书在版编目（CIP）数据

敦煌日历 . 2024 / 敦煌研究院编著 . -- 北京：中
信出版社 , 2023.9
ISBN 978-7-5217-6002-6

Ⅰ . ①敦… Ⅱ . ①敦… Ⅲ . ①历书－中国－2024
Ⅳ . ① P195.2

中国国家版本馆 CIP 数据核字（2023）第 164383 号

本日历中所有图像资料的知识产权均归敦煌研究院所有，
未经敦煌研究院许可，
不得实施复制、翻拍、转载、使用、传播等行为。

敦煌日历 2024
编著： 敦煌研究院
出版发行： 中信出版集团股份有限公司
　　　　　（北京市朝阳区东三环北路 27 号嘉铭中心　邮编　100020）
承印者： 北京启航东方印刷有限公司

开本： 889mm×1194mm 1/48　　印张：16　　　　字数：60 千字
版次： 2023 年 9 月第 1 版　　　印次：2023 年 9 月第 1 次印刷
书号： ISBN 978-7-5217-6002-6
定价： 138.00 元

图书策划： 小满分社
总策划： 卢自强　　执行策划：丁斯瑜　　责任编辑：徐芸芸
营销编辑： 宗雪　　　整体设计：熊琼　　　内文排版：冉冉
特约顾问： 曾孜荣